KB171891

처음과 처음이 만나서

처음과 처음이 만나서

발 행 | 2024년 1월 7일
저 자 | 남보라
펴낸이 | 한건희
펴낸곳 | 주식회사 부크크
출판사등록 | 2014.07.15.(제2014-16호)
주 소 | 서울특별시 금천구 가산디지털1로 119 SK트윈타워 A동 305호
전 화 | 1670-8316
이메일 | info@bookk.co.kr

ISBN | 979-11-410-6491-4

www.bookk.co.kr

처음과 처음이 만나서

남보라 지음

차례

제3부 가을

제4부 겨울

프롤로그

선생님이 되고 싶다는 생각이 머릿속에서 번쩍했던 순간을 기억합니다. 열여섯부터 꾸기 시작했던 선생님이라는 꿈을 서른이 되어서야 이룰 수 있었습니다. 남들보다 조금 늦은 출발이었지만 마음만은 매 순간 진심이었던 것 같습니다. 아이들을 가르치고 싶다는 소망을 이룰 수 있게 된 건 제게 정말 기적과도 같은 일이었지만, 그와 달리 맡은 학급 살이 안에서 기적이란 건 없었습니다. 기적이 아니라면 그만한 큰 자람과 성장이라도 일어났으면 했지만 아이들의 성장은 쉽게 눈에 띄지도 않았습니다. 분명 학급 농사를 잘 지으려 애썼는데 마무리를 할 때면 마음이 우울하고 가라앉을 때가 생겼습니다. 그냥 지나치기 아쉬웠던 순간의 소중함들을 기록하고 남기고 싶었지만 아이 둘 키우기만 해도 허덕거리기 일쑤에다 좋아하는 책을 한 달에 한 권 읽기도 어려운 날들이 이어졌습니다. 퇴근 시간이 가까워 오면 마무리하지 못한 업무와 수업 준비를 뒤로 하고 저녁 메뉴와 냉장고 속 남은 음식 재료들을 생각하며 어린이집으로 달려가곤 했으니까요. 아이들을 재우고 빨래 널기로 그날의 집안일을 마무리하고 나면 그제야 노트북을 열고 다음날 수업 준비를 했습니다. 휴직 기간 동안 매일 육아일기를 쓰던 기록하는 자아는 복직 후 감기는 눈을 이기지 못했습니다.

올해는 조금 특별한 한 해를 보냈습니다. 교직 10년 차에 처음으로 1학년 담임이 되었거든요. 아들 키우듯이 하면 되겠지 하는 마음에 겨우 용기를 낼 수 있었습니다. 이걸 용기라고 표현하는 것이 부끄럽지만 새파란 시절에는 겁부터 나던 1학년이 이제 해볼 만한 학년이 되었다는 것이 올해의 가장 큰 수확이 아닐까 합니다. 1학년을 맡으면서 결심한 것은 기록하는 자아를 되찾는 것이었습니다. 저도 1학년 담임이 처음이고 아이들도 학교생활이 처음이니 거기에 의미를 두고 교단 일기를 기록하고 싶었습니다. 또한 그림책 수업에 재미를 느끼며 수업 후기나 교재 연구 내용들을 블로그에 기록해야겠다고 생각했습니다. 하지만 없는 시간이 뿅 하고 마법처럼 생기는 일은 없었어요. 글쓰기는 엉덩이를 붙이고 진득하게 해야 하는데 당장 바쁜 3월에 시간을 짬짬이 활용하기가 정말 어려웠습니다. 그때 운명처럼 '책 쓰는 선생님' 공문을 보게 된 것입니다. 이런 사업이 있는 건 알았지만 욕심이 나면서도 엄두를 못 냈었는데, 기록하는 자아는 도전하기로 결심합니다. 시작은 어떻게든 되겠지 하는 마음이었습니다.

모든 순간을 기록하기란 불가능합니다. 하지만 짧은 기억과 분주한 일상 사이로 얼마 없는 반짝이는 순간마저 흩어져 버릴 때면 기록하지 못함이 아깝고 아쉬워 스스로를 자책하기도 했습니다. 처음은 부족하고 어려워서 틀릴 수 있다고, 실수해도 괜찮다고 아이들한테 늘 말했지만 정작 저 스스로는 반 아이들 앞에서 처음인 걸 티 내고 싶지 않아 애를 많이 썼습니다. 빠듯한 일정 속에 포기의 기로까지 갔다가 겨우 마음을 다잡았습니다. 책 쓰기 도전도 처음이라 그런 것이겠지요. '처음'이란 낱말은 참 너그럽습니다. 그 너그러움에 기대어 부족함도 자랑삼아 1학년 꼬꼬마들과 덤벙쟁이 1학년 담임의 이야기를 내놓습니다. 여름에 신규 선생님의 죽음을 마주하고 마음이 많이 부쳐 글쓰기를 할 수 없는 날이 많았지만 계속해서 쓸 수 있도록 격려해 주신 글쓰기 멘토 L 선생님께 감사를 드립니다. 또한 1년 동안 동학년이라는 이름으로 만나 어리숙한 막내를 늘 도와주시고 멋지다 격려해 주신 7명의 선배 선생님들께 감사드립니다. 글을 쓰는 동안 아들들을 기꺼이 돌봐주신 가족들에게도 깊은 감사를 전합니다.

이 책이 저처럼 선뜻 1학년을 맡기가 두려우신 선생님들께는 용기를, 자녀의 입학을 앞두고 걱정이 많으신 학부모님들께는 안심과 기대를 선물하는 소중한 책이 되었으면 좋겠습니다. 감사합니다.

제1부 봄

입학 첫 주 단상들

1. 1교시부터 배고프다고 밥 언제 먹냐고 매일 물어보는 아이들이다. 1학년은 4교시를 마쳐야 밥을 먹는다고 해도, 인정하기가 싫은 건지 정말 몰라서 묻는 건지 매일매일 어김없이 배고프다 외쳐댄다.

2. 아직까지 학교에서 쓰는 용어가 익숙하지 않은 아이들이다. 아침 활동 시간에 그날 공부할 것을 미리 칠판에 적어주는데, 아직 '1교시', '2교시'라는 말이 낯설다 보니 "와! 이제 3교실이야!" 하는 아이들. 벌써 두 번이나 말해줬는데도 전혀 들어본 적이 없다는 듯이. 역시 1학년은 반복 또 반복.

3. 『우리들은 1학년』 수업 시간에 학교 둘러보기를 했지만, 건물이 워낙 크고 복잡하다 보니 방과후 수업 교실로 일일이 데려다주게 되었다. 그런데 걸어갈 때 아무 말 없이 내 손을 꼬옥 잡고 따라오는 아이들. 덩치는 커다란데 행동은 정말 아기 같다.

4. 아이들 하교시키고 오후 2시에 폭풍 업무 처리 중이었는데 열

린 앞문에서 반 아이 하나가 날 보더니 깜짝 놀라 이야기한다.

"어! 선생님, 왜 여기 있어요?"

원래 내 자리에서 앉아 일하는 건데 무슨 뜻일까 했더니, 정확히 1시간 뒤에 다른 아이가 와서 똑같이 놀라고 간다.

"선생님, 왜 아직 안 갔어요? 할 일이 많아요?"

자신들과 똑같이 집에 가는 줄 알았던 어린이들이다.

여덟 살의 귀여움에 폭 빠졌던 입학 첫 주 단상.

나쁜 말 에피소드 (1)

쉬는 시간에 훈이가 쪼르르 와서

"선생님, 유현이가 저보고 욕했어요!"

한다. 체격을 보면 다른 친구들을 다 이기고도 남을 것 같은데 이럴 때 보면 참 여려 보인다. 그 생각 중에도 '네가 말한 그 욕이 진짜 욕이면 어쩌지, 이제 겨우 입학한 지 2주도 되지 않았다고!' 하며 머릿속이 복잡해지고 있었다. 화장실에 다녀온 유현이가 뒷문으로 들어오길래 불러 자초지종을 물었다. 알고 보니 욕의 정체는 바로! *'가오나시'였다. 그런데 처음에 가오나시를 말한 아이는 예은이였다고 한다. 앞으로 불러서 왜 가오나시라고 했냐고 물어봤더니 너무나 진지하게 흉내까지 내며 대답한다.

"옷을요 주머니에 손을 넣고 이렇게 하니까 가오나시처럼 생겨서 그렇게 말했어요."

휴. 거칠디 거친 험한 욕이 아니어서 일단 가슴을 한번 쓸어내리고. 아이들을 중재해주고 나니 드는 생각. 1학년은 욕마저 귀엽구나!

여덟 살에게 배우는 사회적 기술 (1)

태어나 처음으로 학교라는 교육 기관에 들어오게 된 아이들을 위해 3월 4주 정도는 입학 초기 적응 활동을 한다. 불혹의 나이가 되었는데도 교과 이름이 익숙한 것은 우리 때도 같은 이름의 과목이 있었기 때문인 듯하다. 『우리들은 1학년』 교과 중반을 지나면 친구와 사이좋게 지내는 방법을 배우고 친구 집에 갔을 때 지켜야 할 예절을 배운다. 친구와 사이좋게 지내려면 어려움에 처한 친구들을 도와주고 인사를 잘하며 칭찬, 사과 등 진심 어린 말들을 해야 한다. 친구를 초대하려면 친구의 부모님께 허락을 받고 시간과 장소를 정하는 약속을 해야 한다. 우리가 지금은 너무나 당연하게 생각하는 것들도 사실은 꼬꼬마 시절에 학교 교실에서 모두 배웠던 것이었다. 배운 기억은 나지 않지만 분명 우리는 이렇게 해야 한다고 삶에서 경험으로 배워왔다.

당연한 사실을 가르치기란 고난도의 수업 능력이다. 당연한 걸 왜 묻느냐는 눈빛에게는 너희들은 잘하고 있다는 메시지를 던지면서도 지루하지 않게 수업을 구성해야 한다. 당연한 걸 알지만 실천이 잘 안 되어 고민인 눈빛에게는 머리로만 아는 것이 아닌 몸으로 실행에 옮기는 행동력을 전달해야 한다. 하지만 여덟 살이라는 나이는 당연한 사실도 모를 수 있는 나이다.

친구를 초대했을 때 또는 친구의 초대에 응할 때 지켜야 할 예절 중 아는 것을 말해보자고 했다. 이미 설명한 내용을 잘 기억하여 또박또박 대답하는 아이들이 기특하다. 그런데 뒤쪽에 앉은 예은이가 손을 번쩍 들고 발표를 했다.

"선물을 준비해야 해요!"

미처 생각지 못한 귀여운 대답에 나는 함박웃음을 짓고 말았다. 내 표정을 본 눈치 빠른 아이들이 같이 깔깔 웃어대고 교실은 금세 한바탕 웃음이 넘친다. 소란함을 잠재우며 말했다.

"선물은 준비하면 좋지만 그렇다고 갈 때마다 꼭 준비해서 가져갈 필요는 없어요."

수업을 마치고 그날의 수업을 곰곰 되짚는데 이 장면이 자꾸만 마음에 남았다. 최근에 이사를 한 친구가 있어 몇몇 친구들이 집들이로 방문한 적이 있는데 집주인인 친구가 절대로 선물은 준비하지 말라며 신신당부를 하기에, 그래도 되나 싶은 마음이 들면서도 진심이겠지 하며 정말 선물을 들고 가지 않았다. 그런데 같이 그 집을 방문한 다섯의 친구의 마음의 무게는 같지 않았나 보다. 진심을 진심으로 받아들이지 못한 두 명의 친구가 마트에서 파는 가장 크고 무거운 두루마리 휴지를 사 온 것이다. 나를 포함한 나머지 세 명은 그때부터 표정 관리에 실패하고 이러면 우리가 뭐가 되냐며

투덜거렸지만 이미 친구네 집에 들어왔기에 소용이 없었다. 서너 시간 동안 맛난 음식도 먹고 신나게 수다도 나누고 우리는 헤어졌다. 그리고 집으로 돌아와 내가 제일 먼저 한 일은 인터넷 선물하기 기능을 이용해 친구에게 줄 선물을 골라 메시지를 보내는 일이었다. 친구는 정말 괜찮다고 말해주었지만 내 마음이 괜찮지 않았기에 나는 이런 선택을 했다. 그리고 예은이의 발표를 떠올렸다. 굳이 생일 초대가 아니더라도 너는 진심으로 친구에게 선물을 주고 싶었을 수도 있는데, 선생님은 꼭 그렇게 하지 않아도 된다는 말을 했구나. 불혹의 경험치에도 친구의 말을 곧이곧대로 듣고 선물을 준비하지 않아 좌불안석 곤욕을 치르고 나니, 여덟 살의 경험치로도 선물을 준비해야 한다고 말하는 너의 말이 정답일 수도 있겠다는 것을 이제야 깨닫는다. 세상에 당연한 것은 없다.

속단 금지

바쁘고 정신없는 3월도 교육과정을 마무리 짓고 학부모 상담을 하고 교육과정 설명회를 하고 나면 그나마 한숨을 돌리게 된다. 그때 고개를 들어 창문 밖을 보면 고운 자태의 분홍 벚꽃들이 꽃망울을 터뜨릴 준비를 하며 마음을 간질인다. 벚꽃이 피면 어김없이 학급 단체 사진을 찍는데, 코로나가 한창일 때는 돌아가며 결석을 하는 바람에 꽃잎이 지기 전 겨우 사진을 찍기도 했었다. 그러나 올해는 마스크 착용도 자율이 된 만큼 코로나가 많이 잠잠해졌으니 단체 사진을 찍는 데 문제가 없을 줄 알았다. 하지만 1학년의 교실은 전원 출석이 쉽지 않다는 걸 미처 몰랐다. 아이가 자주 아프고 또 자주 다치며 가족 체험학습을 신청하여 결석하는 경우도 많았다. 모두가 출석하길 기다리며 하루하루를 보내는 동안에도 벚꽃잎들은 무르익어갔다. 벚꽃이 절정에 이르고 초록잎이 하나, 둘 늘어나는 걸 보니 애가 탔지만 미리 찍지 못한 나를 탓하는 수밖에. 월, 화 이틀 동안 가족 체험학습을 신청한 가족이 있어 수요일에는 꼭 사진을 찍으리라 다짐 또 다짐했다. 그러나 준비한 수업이 너무나 소중하여 타이밍을 놓쳐버린 나는 결국 목요일로 사진 찍기를 또다시 미루었는데, 일이라는 게 참 계획대로 되지 않는다는 것을 뼈저리게 느꼈다.

그날은 5교시였는데 점심을 먹고 교실에 올라와 업무 처리를 하는 중에 갑자기 지한이가 울상이 되어 교실로 들어왔다. 사정을 물으니 놀이터에서 놀다가 벌에 쏘였다고 했다. 손목을 보니 붉게 부어있는 부분이 두 군데나 있어 급히 보건실로 데리고 갔다. 더 놀라운 건 옷에 가려 보이지 않는 부분 중에 쏘인 자국이 두 군데나 더 있었다는 것이다. 위험할 수 있으니 바로 부모님께 연락드리고 하교 조치를 하게 되었는데, 정신없이 아이를 보내고 나니 오늘 또 단체 사진을 찍지 못했다는 현실 앞에 후회의 탄식이 흘러나왔다. 1교시에 미리 찍을 걸. 역시 마음먹었을 때 즉시 해야 되는구나 다시 한번 깨달았다. 아이들 하교 후 지한이 부모님께 연락드리니 치료는 잘 받았고 내일은 등교할 수 있다고 하셨다.

벌이라는 동물은 상대방을 침으로 공격하고 나면 자신은 죽어버린다고 하는데, 그래서 건드리지 않으면 굳이 사람을 향해 일부러 공격을 하지 않는다고 가르쳐왔다. 그런데 네 번이나 쏘일 정도면 벌을 심히 기분 나쁘게 괴롭혔을 것이란 혼자만의 결론에 다다랐고 몇몇 아이들도 벌한테로 돌을 던진 아이가 있다고 실토를 했다. 확실한 심정적 결론을 얻은 나에게 다음 날 지한이는 또 놀이터에 가도 되냐고 물어왔다. 나는 이때다 싶어 추궁 섞인 질문을 시작했다.

"지한아, 혹시 어제 벌한테 돌 던진 적 있어?"

"아니요!"

꽤 당당한 태도에 요 녀석 봐라? 싶은 마음으로 또다시 물었다.

"그런데 벌이 왜 우리 지한이를 아프게 했을까?"
그랬더니 세상 해맑은 얼굴로 대답했다.
"그건 제가 너무 예쁜 색깔 옷을 입어서 그래요."

질문하기 전 나는 꼭 이실직고를 하게 만들리라는 마음이었는데, 이 대답을 듣는 순간 무장해제가 되어버렸다. 범행 고백을 받아내겠다는 야심 찬 계획은 수포로 돌아가고, 새롭게 엄마 미소가 장전되어버렸다. 내가 졌다. 지한이에게 말했다.
"그렇구나. 그런데 어쩌지? 오늘도 지한이 입은 옷이 너무 예쁜 색깔 옷인 걸!"
이번에는 지한이가 씨익 웃는다.
"놀이터에 가도 되는데 벌은 꼭 조심해야 해. 알았지?"
이미 나가는 문 쪽으로 종종 뒷걸음질을 치며 아이는 고개를 끄덕인다.

평소 쉬는 시간이 끝나면 다시 수업 시간이 되었다는 것에 화가 나 종종 "악!"하고 소리를 지르던 지한이였다. 정해진 수업 시간은 악을 쓰고서라도 지켜야 하는 것이기에 자주 화를 냈었는데, 그런 너에게 벌침 네 방이 대수랴. 밥을 최대한 빨리 먹으면 1, 2, 3교시를 마치고 얻었던 30분의 쉬는 시간보다 더 많은 40~50분의 놀이 시간을 얻을 수 있는데 말이다. 나를 향한 지한이의 미소가 벌 정도는 놀이터를 포기하는 이유가 될 수 없다는 당당한 선언처럼 보인다. 미소 속에 담긴 당찬 결의를 지한이의 눈동자에서 보았다.

꿈은 많을수록 좋아

어느 날 아침 활동 시간에 은성이가 안 쓰는 공책에 어떤 얼굴을 하나 그려서는 들고 와서 자랑을 한다. 무엇을 그렸냐고 물으니 "도둑이에요." 했다. 자신은 도둑의 얼굴이 보고 싶다고 한다. "도둑이 집에 들어오면 우리 집 물건을 훔쳐 가기 때문에 안 좋은 것인데?" 해도 막무가내. 그 순간 아이의 말을 넘겨버릴지 대꾸를 할지 결정해야 했는데, 갑자기 떠오르는 말이 있었다.

"도둑은 평소에 얼굴을 가리고 있어서 우리가 볼 수 없지만 은영이가 경찰이 되면 도둑의 얼굴을 볼 수 있겠다!"

하며 놀라는 표정을 지었더니, 순간 아이의 얼굴이 조금씩 밝아진다. 순간 이런 대답을 생각할 수 있는 나, 셀프 칭찬하고 싶다. 은성이에게 이따가 꿈 그리기 할 때 경찰 그리면 되겠다 했더니 웃으며 끄덕끄덕 한다. 그런데 막상 수업 시간이 되니 경찰은 온데간데 없고 도화지엔 강아지와 피카츄를 양손에 하나씩 잡고 걷는 축구 선수 한 명만이 덩그러니. 그래, 너의 생각을 존중해.

사진 자르게 하지 마세요

자라서 무엇이 되고 싶은지 꾸미는 활동을 하는 날. 그냥 그림만 그리는 것보다 얼굴에 아이들 얼굴 사진을 붙이면 더 좋은 작품이 되겠지 싶어서 준비물로 얼굴이 조금 크게 나온 사진을 보내달라고 부모님께 안내했다. 드디어 작품 만들기 시간. 그런데 몇몇 아이들이 사진을 꼭 잘라야 하느냐고 물었다. 진짜로 자기 얼굴이 잘리는 것 같은 느낌이란다. 말은 그렇게 하지만 그래도 씩씩하게 사진을 잘 잘랐는데, 여자아이 3명은 끝내 자르지 않았다. 자르지 못했다는 게 맞을 것 같다. 도저히 자르기가 힘들다면 얼굴 부분을 그림으로 그리라고 했는데, 첫 주에 집에 가고 싶다고 울었던 서은이가 또 울먹거리기 시작했다. 정말 한참만에 그치더니 겨우 작품 세계에 빠져들었다. 비록 사진 자르기지만 내 몸이 잘려나가는 고통을 느끼는 1학년들. 생각지도 못한 반응에 1학년 담임 급 반성 모드.

급식 에피소드 (1)

입학식 다음 날부터는 급식실에서 밥을 먹기 때문에 미리 가서 줄 서는 연습도 해보고 밥 받는 자리에서 식탁까지 걸어가는 연습도 해보았다. 당연히 썩 매끄럽지 못한 흐름이지만 이따가 다른 반보다 조금 뒤에 서서 따라가면 괜찮겠다 싶었다. 그런데 우리 1학년들, 급식 받고 자리까지 걷는데 한 발 한 발을 얼마나 조심히 내딛는지. 선생님들이 국물 흘리지 않도록 조심하라고 명심 또 명심을 시켰긴 하지만 그 말을 이렇게 잘 지킬 일인가? 덕분에 네 반씩 나눠 선 줄이 구만리다.

진정한 여덟 살

그림책 『진정한 일곱 살』을 읽고 아이들과 공감 포인트를 나누어 보았다. 진정한 일곱 살이라면 앞니가 하나쯤은 빠져야 하고 채소도 가리지 않고 잘 먹어야 한다. 마음이 통하는 단짝 친구가 있고 양보할 줄도 알아야 한다. 공감되는 부분에 포스트잇 쪽지도 붙이고 서로 비슷한 의견을 가진 친구들과 이야기도 나누어 보며 왁자지껄 재미있는 수업이 계속되었다. 일곱 살에서 공감 포인트를 찾았다면 이제 진정한 여덟 살은 어때야 할까 이야기를 나눌 차례다. 갓 입학한 아이들이 맞나 싶을 정도로 여덟 살에 대한 자부심이 엄청나 보인다. 아이들의 답변은 다음과 같다.

공부를 해요.
책을 더 많이 읽어요.
그림을 더 잘 그려요.
밥을 더 많이 먹어요.
싸우지 않아요.
샤워를 혼자 해요.
수업 시간에 떠들지 않아요.

혼자 밥을 잘 먹어요.

젓가락질을 잘해요.

화장실에서 똥을 닦을 수 있어요.

집에 혼자 있을 수 있어요.

매운 음식을 먹을 수 있어요.

아홉 살 되기 직전에 이 답변을 꼭 다시 보여주어야지. 혹시 아직도 힘든 부분이 있니? 그래도 괜찮아. 진정한 아홉 살이 되면 되니까.

편애

1학년의 첫 현장 체험 학습날이다. 아이들 집으로 안내장을 보내긴 했지만 클래스팅에 반복 안내를 하지 않은 것이 내심 걱정스럽고 신경이 쓰였다. 제일 걱정되는 건 은성이가 도시락을 싸 올까였는데 내 도시락 챙길 여유도 없기에 은성이의 끼니까지 챙기기는 어려웠다. 그날 아침에 출근하러 부랴부랴 집을 나서는데 순간 신기하게도 우리 집 아이들 돗자리가 눈에 띄었다. 그래, 이걸 안 가지고 올 수도 있겠다 싶어 얼른 가방에 넣고 출근했다. 아이들은 현장 체험학습 장소에 도착하자마자 밥은 언제 먹냐고 물어댄다. 아직 멀었다고 열댓 번을 말하고 나서도 긴장의 끈은 놓을 수 없다. 공룡뜰 놀이와 배움뜰 체험이 끝나고 드디어 점심 식사 시간. 제일 걱정했던 은성이의 도시락 확인부터! 다행히 도시락과 물, 음료수 모두 잘 준비해 왔다. 사이다 캔 하나에도 모두 이름을 적어서. 그런데 아니나 다를까 정말로 "돗자리는 없어요!" 하는 것이다. 옳거니 잘됐다 싶어서 "어! 선생님 것 있는데 이거 쓰면 되겠다!" 하고 전해주니 좋다고 받아간다. 2개를 가져갔는데 하나는 은성이에게 주었고, 나머지 하나는 돗자리가 없는 다른 남자아이에게 주려다 주지 않았다. 돗자리로 표현하는 사랑을 오직 은성이에게만 전하고 싶은 마음이 불현듯 들었다. 남자아이야, 너는 도시락에 리락쿠마 유부초밥도 있고 달팽이 김밥도 있잖아. 그래서 조금 큰 돗자리를 가져온 다른 남자아이와 함께 밥 먹으라 붙여주고, 내가 가져간 돗자리는 은성이에게만 주었다. 은성아, 선생님의 사랑이 너에게 잘 전해졌을까?

모든 어린이들은 최선을 다하고 있다

아이들의 속도는 제각각이다. 주어진 시간 동안 충분히 해내겠지 싶은 것들도 늘 할 수 있는 온 힘을 다해 색을 입히고 꾸미는 아이들은 매번 제시간에 완성을 하지 못한다. 아이가 야무져서 담임의 안내가 없어도 시간이 지난 뒤 다 했다고 내는 경우는 정말 고맙다. 그래서 이런 아이들에게는 수업 중간에 재촉하지 않는 편이다. 분명 그 마음의 시작은 조금 더 잘해보고자 하는 것이었을 테니. 이러한 의지는 정말 소중한 것이며 잘하려는 마음은 분명 좋은 것이니 최대한 이해하려고 노력하는 편이다. 그럼에도 불구하고 학교에 다니기 시작한 이상 시간 안에 완성해서 내는 것도 꼭 필요한 기능이라는 생각에, 완벽하려는 마음을 조금만 덜어내면 좋겠다 싶다.

그런데 언제까지 내라고 요구하지 않으면 미완성인 작품을 책상 서랍 속 어딘가에 넣어놓았다가, 또는 집에 가서 해오겠다며 안내장 파일에 넣어 두었다가 자연스럽게 잊히는 아이들의 작품은 매번 아쉽다. 이런 아이들은 대개가 작품 구상에 너무 많은 시간이 들어 출발이 더디거나, 당장 하고 싶은 것을 하느라 해야 할 것을 시작하겠다는 마음조차 없는 경우일 것이다. 학급일지에 잘 표시해 두었다가 언제까지 해오라고 안내를 해도 대답만 알겠다 할 뿐 완성작을 받게 되는 경우는 거의 드물다. 왜 안 내냐고 물으면 잠시 곤란하다는 표정을 짓지만 얼마 지나지 않아 금세 친구들과 함께 깔깔대는 아이들이다. 이것도 일종의 책임일 텐데, 해야 하는 것보다 하고 싶은 것에 매달릴 수 있다는 것은 어린이의 특권이자 큰 복임에 틀림없다.

이 두 종류의 아이들이 반반씩 섞이면 얼마나 좋을까 싶지만 현실에서는 안타까운 모습으로 나타난다. 아이들은 분명 할 수 있는 최선을 다했지만 뭔가 듬성듬성 어설픈 작품을 5분, 10분 만에 들고 오는 경우이다. 이때 각별히 주의할 점은 아이 앞에서 한숨을 내쉬지 않는 것. 그럴 땐 이너피스를 마음속으로 되뇌며 색칠이 덜 된 곳을 짚어주면서 흰 부분을 조금만 메꾸어 더 색칠해 보자고 이야기해 준다. 다행히 아이들은 기분 나빠하지 않고 알겠다 하고는 자리로 돌아간다. 그런데 다시 돌아오는 작품은 전과 눈에 띄게 변화된 건 없다. 다시 해보라는 선생님의 부탁이 짜증 날 법도 한데 그래도 이런 아이들은 대개 다시 하라고 할 때까지 하는 편이다. 나라면 분명 여러 번 잔소리 듣는 것이 싫어서 처음부터 완벽하게 하려고 하겠지만, 나는 안다. 이것이 대충이 아니라 그 아이의 가장 최선의 것이었음을. 여러 아이들을 만나다 보면 뭐든지 적당한 아이들이 가르치기가 수월한데, 어쩌면 다양성을 인정하자고 주장하면서 내가 시간이라는 틀에 아이들을 가두고 있는 건 아닐까 생각

한다. 또한 아이의 최선을 대충으로 오해하기도 한다.

아무래도 인생 8년 차인 1학년들에겐 '적당함'이란 것이 가장 높은 수준의 기능일 것이다. 결혼 8년 차 주부가 되었어도 아직 '대충', '적당히' 재료를 넣어 요리하는 기능을 습득하지 못한 내가 아닌가. 8년이란 시간은 아직 짧디 짧다.

제2부 여름

잘난척 달인

초임 시절 좋은 인생 선배들을 만나 플루트라는 악기를 배울 기회가 생겼다. 벌써 만으로 10년이나 되었는데 잘하지는 못해도 교사 플루트 오케스트라 활동도 하며 정말 즐겁게 연주하고 있다. 처음 배우던 시절에는 연습이 있는 날 출근을 할 때 악기 가방을 차에 그대로 두고 내렸었다. 그런데 추운 날씨나 더운 날씨에 악기가 그대로 노출되면 변질이 일어날 수도 있다는 사실을 알고 난 뒤로는 교실에서 악기 불 일이 없더라도 반드시 꺼내서 교실로 가져간다. 쨍하고 화려한 주황색의 플루트 가방을 백팩처럼 몇 번 메고 갔더니 예은이가 금세 관심을 보였다.

"선생님, 왜 가방을 메고 와요? 안에 뭐 들었어요?"

그런데 한 번이 끝이 아니고 그 후로도 두세 번 묻길래 많이 궁금한 것 같아 악기가 들었다고 대답을 해 주었다. 악기 이름은 플루트이고 길게 연결해서 입으로 불어 소리 내는 악기라고. 꺼내서 보여줬더니 감탄사를 연발한다. 이렇게 된 이상 가만히 있을 수 없다. (가만히 있어도 되는데) 굳이 꺼내서 이렇게 연주하는 거라며 아이들이 좋아하는 우리 반 반가(얼굴 찌푸리지 말아요)를 불러 주었더니 뒤에서 놀던 아이들도 앞으로 모여든다. 선생님 진짜 잘한다며 칭찬 폭탄이 쏟아진다. 얕은 솜씨로 잘난 척하며 아이들에게 극찬 받기, 오늘도 성공이다.

스피드 퀴즈의 원칙

"애들아, 팀에서 문제 낼 사람을 한 명씩 정해 보자. 파이팅!"

스피드 퀴즈를 학기 중 빨리 하고 싶었는데 아이들의 한글 공부가 마무리 될 때까지 기다렸다. 읽기가 힘든 아이들을 위해 그림을 넣을 수도 있지만, 여러 개의 정답을 인정해야 할 경우가 생기기 때문이다. 여름 주제에 맞는 7개의 단어를 주고 설명만으로 문제를 맞히도록 했다. 문제를 내는 아이는 다른 모둠 친구들과 같이 화면을 바라보고, 문제를 맞히는 아이들은 교실 앞에 나와 서서 친구들 쪽을 바라보도록 섰다. 먼저 하고 싶다는 3모둠부터 시작했다. 준비됐지? 시~~~작!

우리 출제자님, 시작하자마자 자신 있게 외쳤다.

"해!"

문제 정답이 '해'였는데 정답을 외친 것. 수업 방해 학생 케어를 위해 교실에 함께 있던 상담 선생님과 함께 빵 터졌다. 아직 이해를 못 한 것 같아 다시 간단하게 설명해주었다.

"정답을 바로 말하면 안 되고 문장으로 말해서 그 설명을 듣고 맞출 수 있도록 해야 해."

이제는 정말 알았다는 듯 연신 고개를 끄덕거리는 도윤이. 그래, 믿는다! 바로 다음 문제 설명에 돌입한다.

"이거, 수영할 때..."

어이쿠. 정답이 '수영'이었는데 또 실수를 하고 말았다. 벌써 7문제 중 2문제를 날려버렸으니 문제를 맞히려고 서 있는 아이들의 표정이 점점 어두워지고 있었다.

할 수 없이 문제 맞히는 아이 중 한 명과 얼른 자리를 바꾸어 진행했다. 그랬더니 다행히 일사천리.

도윤아, 미안해. 아무리 스피드 퀴즈라도 설명할 때 정답을 말하지 않는다는 규칙은 지켜야 한단다. 원칙을 지키는 길이 가장 스피드한 방법이란 걸 꼭 알아주렴.

가족사진으로 수업한 날

교사가 된 후로 수업 중에 항상 전전긍긍 노심초사하게 되는 부분이 있는데 바로 가족에 대해 가르칠 때다. 요즘은 그래도 학년성에 맞게 가족의 다양성을 언급할 수 있어 편견을 깨기 위해 항상 노력하는데 그래도 받아들이는 아이의 마음이 힘들지는 않을지 걱정이 없을 수는 없다.

아빠가 사고로 일곱 살 때 돌아가시고 여덟 살에 모자 가정을 지원하는 사회복지기관으로 이사를 오게 되었다. 너무 어려서 슬프다는 생각조차 하지 못했는데 모자원에 살면서 많은 챙김과 사랑을 듬뿍 받았기 때문이 아닐까 생각한다. 초등학교 저학년 때부터 장학금을 받고 미군부대 카투사들에게 영어 공부도 배웠다. 방학이면 모자원에 사는 가족들 다 같이 관광버스를 타고 바닷가나 대전 엑스포, 서울랜드 같은 곳에 항상 갔기에 아빠 없는 서러움을 느낄 일도 없었다. 그리고 같이 사는 이웃 주민들이 모두 아빠가 없는 사별 가정이었으니 가족의 부재에 대해 큰 편견 없이 자랄 수 있었던 것 같다.

그러던 어느 날, 5학년 때의 일이다. 무슨 일인지는 모르겠지만 친구와 다툼이 있었는데 그 친구가 눈으로는 나를 쳐다보며 다른 친구에게 말을 걸었다. "○○야, 너 아빠 있어? 보라는 아빠가 없대." 내 마음을 다치게 하려는 의도가 너무나도 명백한 그 말에 나는 가족의 부재가 놀림감이 될 수도 있다는 사실을 처음 알게 되었다. 그 말을 듣고 내가 어떻게 했는지는 기억나지 않는다. 다만 교직에 들어오고 난 후로 집안 형편이 넉넉하고 공부도 잘하는 그런 아이들이 아니라, 한부모 가정 아이나 이혼 가정 아이, 가족의 돌봄을 넉넉히 받을 수 없는 아이들이 먼저 눈에 들어오게 되었다. 많지는 않아도 해마다 두세 명은 꼭 그런 아이들을 만났다. 이런 교육 환경에서, 한부모 가정에서 자라 고생 끝에 겨우겨우 교사가 된 나의 이력은 교사로서는 강점이 될 수 있겠다는 생각이 든다. 아빠 없이 자랐지만 삐뚤어지지 않고 아이들을 가르치는 교사가 되었다는 건 긍정적인 변화 가능성을 열어둘 수 있게 한다.

하지만 가족사진으로 수업하는 날 당장 편견 어린 우리 반 아이의 발언을 막을 수는 없었다. 이미 말은 아이의 입을 떠나버렸고, 당장 말을 들은 아이의 안색을 살핀다. 생각해 보면 가족의 다양성을 교육했더라도 실제 아이들의 관계 사이에서는 오가는 말을 조심해 주기를 당부하는 것 외에 또 할 수 있는 게 크게 없다. 싸우라고 교육하는 게 아닌데도 학교 폭력이 발생하듯 가족에 대한 다양성을 교육하는데도 차별에 대한 발언은 늘 가까이 도사리고 있다. 들은 아이가 상처받지 않았기를. 그래서 나는 학기 초 어느 수업 시간에든 내가 아빠가 없이 자랐다는 것을 은연중에 아이들에게 알리는 편이다. 네가 엄마가 없더라도, 아빠가 없더라도 절대 주눅 들고 기죽지 말라고.

물고기 뽀뽀

그림책 『무지개 물고기』를 읽고 무지개 물고기가 친구들에게 은빛 비늘을 나눠준 것처럼 내가 다른 친구들에게 나눠주고 싶은 것은 무엇인지 이야기를 해보았다. 나누어 준 종이에 그려진 물고기를 예쁘게 색칠하고 동그란 틀에 내가 주고 싶은 것을 적은 뒤 잘라서 물고기와 링으로 연결하여 꾸미는 활동이었다. 만드는 방법 동영상 속의 예시에 '배려'라고 쓰여 있는 것을 보고 많은 아이들이 똑같이 적었다. 모든 아이들이 서로 다른 내용을 적을 가능성은 0에 수렴한다. 그래도 제법 다양한 보기들이 보인다. 웃음, 사랑, 행복, 음식, 마음, 고마움. 잘 적었다고 칭찬을 듬뿍 해주고 있는데 한쪽에서 아이들이 "선생님, 이거 보세요!" 하며 웃고 난리가 났다. 물고기 그림 속에 눈을 안 그려 주었더니 훈이가 다른 아이들이 물고기를 색칠한 방향과 반대로 색칠을 한 것이다. 아이들 작품을 칠판에 쭉 붙여 달았는데, 물고기 얼굴이 반대 방향을 바라보니 옆에 있는 물고기 작품과 입맞춤을 하게 된 것이다. 훈이는 또다시 얼굴이 새빨개졌다. 귀여워 정말.

화가 없는 아이들에게 바라는 것

아이들과 세 번째 그림책 만들기를 시작했다. 첫 번째는 『어서 오세요! ㄱㄴㄷ 뷔페』 책처럼 14개의 각 자음으로 시작하는 음식 이름을 넣어 만들었다. 두 번째는 어버이날을 맞이하여 부모님께 드리고 싶은 상장을 꾸미고 하고 싶은 말을 엮어 책으로 만들었다. 세 번째는 『아홉 살 마음 사전』 책을 읽고 10쪽짜리 무지책에 8가지의 감정을 골라 내가 그 감정이 느껴질 때가 언제인지 그림과 글로 꾸며 나타내도록 했다. 제목은 『여덟 살 마음 사전』이다. 예를 들어 '행복해'라는 감정을 골랐으면 행복과 관련된 그림책을 한 권 읽어주고 언제 가장 행복한 감정이 느껴지는지 생각해보게 한다. 그 내용을 무지책 한쪽에 '행복해'라고 적고 그림을 그리고 내용을 적게 하는 것이다. 『아홉 살 마음 사전』에 보면 마음의 종류가 엄청나게 많기 때문에 8가지만 고르기가 무척 고민이 되었다. 밝고 긍정적인 마음이 있으면 어둡고 부정적인 마음도 넣어야 하고 또 아이들이 이해할 만한 마음이면서도 경험이 있을 법한 마음을 골라야 하기 때문이다. 어렵게 8가지의 마음을 정했다. 행복해, 화나, 고마워, 자랑스러워, 두려워, 슬퍼, 그리워, 사랑해.

행복한 마음에 대해서는 무리 없이 다들 잘 해냈다. 떠올리기만 해도 미소가 지어지는 행복함은 누구에게나 있으니까. 그런데 두 번째 마음인 '화나'부터 난관에 봉착했으니... 한 명도 아니고 여러 명이 화가 난 적이 없다고 말하는 것이었다. 너무나 의아하여 "화가 난 적이 한 번도 없다고?" 여러 번 되물었지만 돌아오는 대답은 정말 한 번도 없는데 억울하다는 반응의 "네! 정말 없어요!"라는 대답뿐이었다. 경우의 수는 많다. 정말 말 그대로 화가 안 났을 수 있다. 화가 나더라도 금방 풀리는 성격이라 기억에 남아 있는 화가 별로 없을 수 있다. 긍정적인 성격이라 모든 게 오케이여서 화가 안 날 수도 있다. 화가 난 적이 있지만 이걸 기록으로 남겨 가족에게 보여주고 싶지는 않을 수 있다. 화가 난 것을 선생님께 말하고 싶지 않을 수 있다. 화가 난 대상이 선생님이어서 말하기 곤란할 수도 있다. 화가 난 대상이 친구인데 사이가 나빠질까 봐 걱정돼서 말하지 않을 수도 있다.

그런데 아이들의 화가 난 적이 없다는 말이 절대 말이 안 된다고 생각하면서도 속으로는 고요한 너의 마음이 너무나 부럽다는 생각이 든다. 40년 인생을 지나오며 마음속에 조금씩 쌓이다가 고여버린 화가 있다. 그런 화는 아무리 긍정적으로 좋게 생각하려 해도 바뀌지 않고 없어지지도 않는다. 대부분은 관계에서 오는 것들이다. 때로는 더러운 세상을 향한 것도 있다. 내 인생도 다섯 등분으로 쪼개면 처음 한 조각은 때 묻지 않은 마음이었을지 모른다. 그러나 나머지 8할은 절대 호락호락하지 않았다. 인생 선배로서 아이들에게 바라기는, 앞으로 겪게 될 여러 가지 화가 나는 일에 대해 스스로가 덜 힘든 방향으로 잘 풀어내는 지혜를 가지게 되기를 간절히 바라게 된다. 이런 건 결코 학교에서 다 배울 수가 없고 다 가르칠 수도 없다. 다만 자신의 화난 감정을 억누르며 모르는 척하지는 말기를, 불의 앞에서는 화를 내는 것이 오히려 우리를 위한 것일 수도 있다는 걸 깨달아 가기를 괜한 노파심에 말해주고 싶은 날.

급식 에피소드 (2)

밥을 받아놓고 영양 선생님과 이야기할 게 있어서 한참을 서 있었나 보다. 학년 부장님이 애타게 불러서 돌아보니 우리 반 꼬꼬마가 또 나를 애타게 찾고 있다는 거였다. 무슨 급한 일인가 싶어 얼른 갔더니 꼬꼬마 하는 말, "선생님, 국에 밥 말아 먹어도 돼요?" 이게 물어볼 일인가 싶었지만 1학년은 그럴 수도 있지 생각하면서 얼른 식판을 살펴봤는데, 이미 미역국에 밥이 한가득이다. "다음부터는 안 물어봐도 돼."라고 말하면서 속으로는 '물으려거든 밥 넣기 전에 해주라.' 했다.

급식 에피소드 (3)

분식이 나온 날이다. 반찬 칸에 담아야 할 것 같은 떡볶이를 조리사님들은 국그릇에 담아주고 계셨다. 아이들이 자꾸 받으러 오니 처음부터 많이 주시는 것 같았다. 혈당 오를 게 걱정인 담임은 반찬 칸에 담아주시길 요구하고서 자리로 가 앉았는데, 지난번 국에 말아 먹어도 되냐고 물었던 꼬꼬마가 또 나를 부른다. '오늘은 말아 먹을 음식이 없는데.' 생각하며 자리로 갔더니 꼬꼬마 하는 말, "선생님, 떡볶이 국물에 밥 비벼 먹어도 돼요?" 이번에도 "안 물어보고 먹어도 돼." 하면서 막상 다음엔 어떤 질문을 해올지 내심 기대가 되더라.

벌칙이 놀이가 되는 순간

엉덩이로 이름을 써야 한다고 벌칙을 소개했을 때 괴로움에 싫다는 야유를 보내던 여덟 살 어린이들. 벌칙에 걸린 아이들이 도저히 못 하겠다고 하길래 팔꿈치로 부위 변경해 주고 합의 성공. 팔꿈치로 열심히 쓰는 아이들을 보며 깔깔 넘어가던 아이들은 자신도 하고 싶다고 열심히 손을 들어댄다. 서로 하려고 달려드는 게 과연 벌칙인가 싶다. 정말 너도나도 서로 하려고 하기에 팔꿈치 말고 엉덩이로 쓸 사람을 물었더니 한 남자아이가 번쩍 손을 든다. 하고 싶다는 말을 격하게 하기에 나오라고 하고 엉덩이 필체를 감상하고 있는데 여기저기서 빵빵 웃음이 터진다. 나도 시범을 보이며 불을 붙였다. 이렇게 하고 싶어 하다니. '이건 벌칙이 아니다'는 생각이 들 때쯤 엉덩이, 팔꿈치 외에 다른 부분으로 이름을 써보라고 했다. 한 아이가 나와서 발을 들어 이름을 썼다. 평소 운동을 많이 한다더니 균형 감각이 뛰어났다. 다른 아이는 머리로 해본다고 했다. 아이의 이름자가 제대로 적히지 않기에 본의 아니게 머리로 이름 쓰기 시범까지 보이게 됐다. 담임이 풀어헤친 머리로 앞에서 이름 쓰며 헤드뱅잉을 하고 있으니 우리 아이들 웃겨서 한바탕 소란하다. 시간이 다 되어 가기에 한 명만 더 해보자고 했는데 배로 이름을 쓰겠다는 남학생 등장! 배로 쓰는 건 솔직히 생각 못 했는데, 직접 보고 또 해보니 이 방법도 정말 참신하고 재밌었다. 열심히 준비한 수업보다 벌칙이 더 재미있는 놀이가 되는 순간.

서이초 막내 선생님을 추모하며

2년 차라는 것이 어떤 시기인지 너무나 잘 안다. 새로운 한 해 새로이 만날 아이들과 어떤 학급을 꾸려 나갈까 신나게 계획을 세우고, 오래 사용할 학습 도구나 자료들도 뚝딱뚝딱 만들고, 학급 게시판 환경은 어떻게 꾸밀지 생각하고, 마르지 않은 임용고사 지식으로 지도서도 바로 흡수해 최고의 수업을 만드려 노력하는 시기이다. 꿈을 거두어 버리기에는 너무나 찬란한 시기여서 그게 너무나 아프다.

2년 차에 돌봄 업무를 맡고 너무 힘들어 울 때도 많았는데 선배들 앞에서는 절대 티를 내지 않았다. 분명 그랬다. 하지만 예리한 선배들은 나의 힘듦을 알아챘고 어느 날 이야기했다. "보라쌤, 힘들면 좀 징징거려도 돼. 재처럼 좀 징징거려 봐 바." 내가 만난 선배들은 새파란 후배의 하소연을 듣고 나 대신 쌍욕도 날려주고 일 처리 방법이나 노하우들도 알려주며 내 마음을 풀어주셨고, 덕분에 힘든 신규 시기를 지낼 수 있었다. 아이들, 학부모? 힘든 아이가 왜 없었을까. 하지만 지금과 같은 분위기는 분명 아니었던 것으로 기억한다. 고민 끝에 건넨 상담 권유에도 반발하지 않고 진지하게 고민해 보셨고, 문제 행동을 하는 학생의 부모님은 늘 죄송하다 말씀해 주셔서 힘이 들어도 힘든 줄 몰랐다. 아이를 바르게 성장시키겠다는 목적이 서로 같았기 때문이다.

휴직을 했다가 2020년 2학기에 다시 복직을 했는데, 복직 전에 가장 먼저 들었던 건 그 반 금쪽이의 엄마를 건드리지 말고 금쪽이도 웬만하면 건드리지 말라는 조언이었다. 알고 보니 이전 학년 담임을 국민신문고에 고발했다고 했다. 멀쩡한 아이를 자꾸 이상한 아이 취급한다는 것이 이유였다. 내가 본 아이는 본인이 수업을 하기 싫으면 학습지를 내던지고, 떼쟁이가 되어 고성의 울음을 멈추지 않았다. 햇빛 들어오는 것이 너무 싫다며 굳이 한 자리만 고집했다. 체육 시간 공을 주지 않았다고 친구를 때리고 또 울었다. 분명 정상 행동은 아니었다. 그래도 이 아이를 제외한 나머지 아이들은 정말 천사 같은 아이들이라 웬만한 싸움의 중재에 같이 노력해 주었고 다행히 별일 없이 학기를 마칠 수 있었다.

하지만 이후로 매해 수업을 방해하는 아이들은 있었고 내가 할 수 있는 일은 "조용히 해라. 수업을 방해하면 안 된다." 는 말을 기계 같이 반복하는 것뿐이었다. 어떤 아이들은 수업 시간에 내 눈을 빤히 바라보며 온갖 소리를 냈다. 친구를 괴롭히지 말라는 말에 세상 비열한 미소를 날렸다. 그런 모멸감을 느끼면서도 버텼다. 이유는 단 하나다. 수업을 열심히 듣고 싶은 더 많은 눈동자들이 있었기 때문이다.

올해 열심히 수업 나눔을 쓰고 있는데, 사실 이건 나의 방패 중 하나다. 이만큼 열성을 다해 가르치고 있다는 걸, 아이가 바른 사람으로 자라게 하기 위해 최선을 다하고 있다는 걸 자꾸 강조해야만 혹시나 서운한 일이 생기더라도 잘 풀어나갈 수 있을 거라 여겼기 때문이다. 다행히 잘 소통하며 한 학기가 무사히 지나간다. 하지만 난 알고 있다. 인디스쿨에 하루가 지나가기 무섭게 올라오는 아동학대 신고 당했다는 글을 보며 이 일이 머지않아 내게 올 수도 있는 일이라는 것을. 단지 운이 1% 정도 좋아 겨우 지뢰를 피했음을. 그래서 마음이 너무나 후벼파인다. 우리는 뭘 그리 최선을 다하려고 애를 썼나. 조금 못할 수도 있고 실수할 수도 있다고 왜 아무도 말하지 못했나. 자기 검열은 또 왜 그리 해댔나. 어차피 운에 달린 일인 것을.

가만히 있을 수가 없어서 교육청에 있는 분향소에 다녀왔다. 오고 가는 2시간 운전 길에 교대 동기들, 지난 학교 같이 근무했던 선생님께 마구 전화를 걸었고 잘 지내냐 물었다. 작년 근무했던 학교에 신규로 들어왔던 2년차 후배 선생님에게도. 힘들면 기댈 곳이 있으면 좋겠다. 그리고 같이 바꿔나갔으면 좋겠다. 같이 분노하고 같이 울고 그리고 행동했으면 좋겠다. 그래야 가신 분께 덜 미안할 것 같다. 언제까지 교단에 설지는 알 수 없지만 그동안 이 부채감을 절대 잊지 말아야겠다고 다짐하는 날.

8년 전 제자와 우연히 만났다

그것도 공교육 정상화 집회에 처음 참석하는 날 아침 일찍 동네 빵집에서. 집회 때 점심 식사가 어려울 것 같다는 생각이 들어 이동하고 기다리는 중간에 먹을 요량으로 빵을 사러 동네 빵집에 들렀다. 하나씩 집어 먹기 좋은 빵을 골라 계산하려고 계산대 앞에 섰을 때다. 갑자기 마주 보고 서 있던 아르바이트생이 "선생님!" 하고 부르는 게 아닌가? 마스크를 쓰고 있어 얼핏 누구인지 알 수가 없어 누구지 하며 슬쩍 물었는데 아르바이트생이 다시 말했다. "선생님, 저 희은이에요!" 순간 희은이 얼굴이 떠오르고 내가 담임이었을 때가 순식간에 스쳐 지나갔다. 초임 시절 6학년 담임을 할 때 가르쳤던 제자였다. 너무나 반가워서 한참이나 안부를 주고받고 버스 시간 늦을까 봐 다음을 기약하며 아쉽게 헤어졌다.

하필 오늘 같은 날 이렇게 우연히 만날 수가 있나 싶어 너무나 신기하면서도 희은이를 만나게 하신 그분의 뜻이 있을 거라는 생각이 들었다. 버스를 타고 서울로 가면서 생각했다. 내가 왜 이렇게 교육을 위해 애를 쓰고 있는가. 답이 바로 나왔다. 아이들을 바르게 가르치고 키워내고 싶다는 소망, 그 이상도 이하도 아니라는 것. 집회 자체가 감동, 슬픔, 연대감 등을 느낄 수 있는 시간이었지만 그 날은 특히나 제자를 만났다는 감격에 겨워 집회 내내 뭉클한 마음이 들었다. 집회가 끝나고 버스를 타러 가는 길에 희은이로부터 톡이 와 있었다. 두근두근하며 메시지를 열었다. 희은이는 만나서 너무너무 좋았다고, 선생님 아프지 마시고 무더운 여름 시원하게 보내시라고, 사랑한다는 말에 하트눈 이모티콘까지 아주 다정한 말들을 가득 남겨 놓았다. 집회 때 돌아가신 선생님의 유가족 발언에 눈물을 흘렸는데, 희은이의 메시지를 보니 또 눈물이 났다. 이번엔 감격과 기쁨의 눈물이었다.

희은아, 8년 동안 아주 다정한 어른으로 잘 자랐구나. 선생님은 요즘 마음이 많이 힘들어. 그래도 너를 보니 힘든 마음이 많이 열어지는구나. 이 자리에서 정년까지 버틸 수 있을까 생각했는데 너를 만나니 정신이 번쩍 든다. 유럽 여행 준비하며 읽던 책, 자전거 타는 거 좋아하는 것, 플루트 연주하는 것, 합창단 지도하고 교실에서도 피아노를 자주 연주하던 모습, 인공눈물 많이 넣는 것까지 아주 디테일하게 나를 기억해 주는 너를 보며 제자에게 담임은 어떤 사람일까, 어떤 어른일까 생각이 많아지는구나. 지금은 비록 힘이 들지만 도망가고 싶을 때마다 너를 생각할게. 앞으로의 내 교직 인생은 너의 다정함에 빚을 지게 되겠구나. 고마워. 사랑해.

제3부 가을

부끄러운 글쓰기

2023년 7월 18일. 그날 이후 내 마음에 들어온 슬픔과 분노 덩어리들. 교사의 정체성으로서의 나는 7월 18일 이전으로는 결코 돌아갈 수 없게 되었다. 세상에서 겪은 수많은 죽음은 너무 안타까워 슬프기도 하고 너무 억울하여 분하기도 했는데 7월 18일 한 사람의 죽음은 슬픔과 분노가 같이 일었다. 교단에 서기를 꿈꾸고 갓 선생님이라고 불릴 수 있게 된 2년 차라는 시기가 얼마나 찬란한가를 생각하면, 그 시기를 버티지 못하고 삶을 내던질 수밖에 없었던 한 사람의 선택이 너무나 비참해서 슬프다. 그런데 억울함이 슬픔을 이긴다. 한 사람을 바르게 성장시키겠다는 목적이 같다는 걸 모르는 학부모 때문에, 자신이 벼랑 끝으로 몰아갔던 사람도 누군가의 소중한 자식임을 모르는 학부모 때문에, 잘못된 것도 잘못이라 말하지 못하게 만드는 세상과 법 때문에 분해서 못 살겠다. 화가 나서 미칠 것 같다. 누군가는 고통받고 있었을 그 시간에 나는 수업 나눔 글쓰기로 학부모와 소통도 잘 되고 있고 아이들의 예쁜 점이 이렇게나 많다고 써왔던 나의 글쓰기가 돌아가신 분께 너무나 미안하고 부끄럽다. 고통을 뒤로한 채 좋은 것만 드러내려 했던 나의 행동이 선생님들의 죽음에 일조한 것 같아 마음이 무너진다. 힘들면 힘들다고 말하는 글쓰기가 필요했는데. 마음이 한없이 깊은 심연으로 가라앉고 있는데도 좋은 점만 보자고 마음을 다독였던 내가 원망스럽다. 나는 이제 어떻게 글을 써야 할까.

모둠 세우기

2학기를 시작하며 학급 운영에 여러 가지 변화를 주었다. 그중에 하나가 바로 모둠을 세우는 일이었는데, 1학기에도 모둠 운영은 했었지만 특별히 역할을 주지는 않았었다. 뭔가 역할을 수행하기에는 아직 어리게 느꼈던 걸까. 2학기엔 분명 더 자랐을 거라 믿고 모둠을 세워 이끔이, 기록이, 나눔이, 점검이라는 역할을 부여했다. 열심히 의논하는 걸 보니 기특한 마음 한가득이다. 모둠을 세울 때 모둠원들과 함께 지킬 약속 3가지를 꼭 적으라고 하는데 아이들은 모르지 않는다. 무엇을 지켜야 하는지 너무나도 잘 알고 있다. 다만 실천이 힘들 뿐.

꽃나라 모둠
- 장난 치지 않기, 선생님 말 잘 듣기, 친구 도아주기

수박 모둠
- 수업 시간에 떠들지 않기, 친구 괴로피지 않기,
  이상하 소리 내지 않기, 사이좋게 지내기, 떼리지 않기

바다 생명 모둠
- 거짓말 노노, 쓰레기 아무데나 버리지 않기, 짜증 내지 않기

스마일 모둠

- 장난 치지 않기, 선생님 말씀 잘 듣기,

  쉬는 시간 끝나고 빨리 들어오기

딸바비 모둠

- 수업 시간에 떠들기안기, 장난치기 안기,

  선생님 말씀 잘 듣기

받아쓰기를 시작하는 마음

2학기에 또 새롭게 시작한 것이 있었다. 바로 받아쓰기다. 한글을 배우는 1학기에는 가급적 지양하는 추세이고 2학기에도 안 하는 선생님들이 많다. 받아쓰기가 아동학대라며 민원을 넣는 학부모가 있었다나. 사실 안 하면 제일 편한 건 교사다. 연습시켜 주고 시험 치고 틀린 것 세 번씩 쓰기 숙제 내서 검사하고 안 해오면 남겨서까지 지도하는 그 노고를 감당하는 건 교사의 교육적 양심과 열정이 아니면 무엇이란 말인가. 열심히 하는데도 아동학대라는 소리를 들으니 교사들의 사기는 꺾일 수밖에 없다. 하지만 동학년 선생님들 몇 분이 받아쓰기를 시작할 거라는 소식을 알려주셔서 내심 하고 싶었던 나는 속으로 환호성을 질렀다.

급수표를 받아 든 아이들 입에서 탄식이 흘러나왔다. 괴성과 비명까지 내지르는 아이도 있다. 예상외로 좋아하는 아이도 있다. 100점 받고 엄마한테 요구할 선물 이름을 줄줄 읊는다. 화요일 아침 활동 시간에 쓰기 연습을 하고 목요일 아침에 시험을 친 뒤 틀린 문제 숙제는 금요일까지 제출하는 것으로 아이들과 합의를 보았다. 그런데 1급 시험을 보니 예상치 못했던 상황이 등장했다. 번호를 바꾸지 않고 순서 그대로 불렀더니 부르지도 않았는데 다음 정답을 외워서 미리 적는 아이가 있는 것이다. 2급부터는 당장 번호를 섞어 부르기 시작했다. 역시 급속도로 하락하는 점수.

벌써 13급까지 시험을 쳤다. 받아쓰기를 했던 지난 학기 동안에 어떤 문제를 먼저 부를까 요리조리 재다 1번! 하고 부를 때 모든 아이들이 일제히 고개를 숙여 공책을 뚫어져라 쳐다보면서 조용한 가운데 또각또각 연필 소리가 메아리로 퍼지는 그 순간을 나는 사랑하게 되었다. 문제를 다 쓰고 8시 50분에 제출했는데 55분에 쪼르르 와서 "선생님, 다 매겼어요?"하는 아이들은 참 귀엽고 사랑스럽다. 채점 후 나눠주는 공책을 받아 들고 100점이면 좋겠다며 조심스럽게 공책을 펼치는 아이들도 얼마나 예쁜지 모른다. 점수에 연연하지 않았으면 하지만 어쩔 수 없이 점수를 적을 수밖에 없는 선생님을 이해해 주기를.

교사로서 가장 힘이 나는 순간

그 어느 해보다 뜨거운 여름이었다. 여름 방학 동안 매주 공교육 정상화 집회가 있었다. 7월 18일 이후 도저히 가만히 있을 수 없다며 모이자고 발 벗고 나서주신 선생님들 덕분에 매주 쉬지 않고 집회가 열릴 수 있었다. 그러나 방학임에도 불구하고 일정이 많아 제대로 참석할 수가 없었다. 남편이 여름휴가를 금요일 하루밖에 받지 못해서 한 주는 여행을 다녀야 했고, 한 주는 플루트 오케스트라 공연, 한 주는 석 달 전에 잡아놓은 큰아들 대학병원 진료 예약이 있었다. 유일하게 참석할 수 있었던 8월 5일 토요일은 한낮 기온이 35도를 넘는 폭염이었다. 하지만 발걸음 할 수 있어서 그저 좋았다. 뜨거운 마음을 가진 동료들과 함께 앉아 우는데 우울과 분노의 마음이 조금은 누그러지는 것 같은 기분이 들었다.

8월 17일에 교육부는 '교원의 학생생활지도에 관한 고시(안)'을 발표했다. 그에 따르면 교사는 앞으로 전문가에 의한 검사·상담·치료를 권고할 수 있고, 사전협의 후 상담을 실시하며 근무 시간·직무 범위 외의 상담 거부가 가능하다. 수업 중 휴대전화 사용 금지시킬 수 있으며 생활지도 불응 시 징계 요청 및 교육활동 침해 행위로

사안을 처리할 수 있다. 학교의 생태를 잘 몰랐던 혹자는 말한다. 이때까지 이러한 교육 행위를 할 수 없는지 몰랐다고. 엄밀히 말하면 할 수 없었던 게 아니라 할 수 있지만 그렇게 했다가는 아동복지법 제17조 5호에 의해 정서적 아동 학대로 고소를 당할 수 있으므로 못 했던 것이다. 누가 고소의 위험까지 끌어안고 아이들을 가르치려 할까. 아무리 사명감 투철한 교사라도 그건 정말 힘든 일이다. 고시가 발표되었다 한들 학교 구성원의 의견을 수렴하고 교칙을 새롭게 정비하는 데는 시간이 꽤 걸릴 것이므로 당장에 어떤 변화는 전혀 없다. 오히려 여러 언론 보도로 인해 아동 학대 신고를 할 수 있다는 사실을 악용한 신고가 7월 18일 이후로 더 늘었다는 것이 기가 막히는 일.

그런 분위기 속에서 2학기 개학을 했다. 까맣게 그을린 얼굴을 하고서 설렘 가득한 아이들과는 달리 내 마음은 너무나도 무거웠다. 심각성이 많이 알려졌다고는 하나 교사로서 체감할 수 있는 변화는 전혀 없기에 답답한 마음만 가득했다. 그러는 사이 서이초 막내 선생님의 49재 추모일이 다가오고 있었다. 여러 선생님들의 의견이 모아져 49재인 9월 4일 월요일을 '공교육 멈춤의 날'로 지정하여 출근을 하지 않고 추모를 하자고 했다. 하지만 K교사들은 아이들을 두고 출근을 하지 않는 것이 결코 편치 않으니 학교장 재량휴업일 지정이라는 대안을 내놓았다. 긴급한 사안의 경우라면 얼마든지 재량휴업일로 지정하여 아이들의 수업권을 보호할 수 있는 일이었다. 다수의 교사들이 출근하지 못하는 일은 정말 긴급한 사안이지 않은가. 하지만 교육부는 재량휴업일을 지정하는 학교장과 해당일 연가, 병가로 출근을 하지 않는 교사들을 징계하겠다고 으름장을 놓았다. 재량휴업일 지정을 결정했던 학교도 너도나도 결정을 번복, 철회하기 시작했다. 꺾이는 사기만큼이나 답답함은 늘어만 갔다. 병가를 쓰는 걸로 교사들 내부에서도 논의가 많았다. 하지만 징계가 두렵지는 않았다. 정당한 교육 활동도 고소 거리가 되는 지금의 학교와 교실이, 잘못을 잘못이라 말하지 못하는 것과 그런 아이들이 자라서 이루어 갈 사회의 모습이 더 두려웠다.

하루하루를 버티던 어느 날 아침, 학생이 제출한 신청서에 가장 힘이 되는 쪽지를 보았다. '존경하는 선생님, 공교육 멈춤의 날 응원하고 지지합니다. 힘내세요.' 당장 동학년 단톡방에 공유했고 부러움을 한 몸에 받았다. 학부모 부심! 그런데 그 쪽지가 다가 아니었다. 그날 오후에 또 다른 학부모로부터 온 연락은 정말 죽어가던 마음속 생명수 같았다. 9월 4일 공교육 멈춤에 동참하기 위해 교외체험학습 신청서를 내고 싶은데 혹여나 그것 때문에 담임인 내가 피해를 입게 될까 봐 조심스럽게 연락을 하신 것이다. 피해가 생길 것 같지는 않았지만 그 마음이 너무나 감사하여 메시지를 열자마자 눈물이 났다. 사실 교사를 이토록 지지해 주시는 학부모님이 계시다면 피해를 입는다 해도 괜찮을 것 같았다. 결국 체험학습 서류를 쓰기로 결정하고 결재를 기다리고 있었는데 결과는 반려. 가정학습에도 기타 사유에도 해당이 되지 않는다는 것이 이유였다. 집 근처 어디라도 체험을 간다는 내용에 공교육 멈춤 참여 내용을 추가하는 것은 되지만 오로지 공교육 멈춤 내용으로만 쓰는 것은 안 된다고 했다. 학교의 대처가 서운하고 정말 속상했지만 마음을 전해주신 학부모가 있는 걸 확인한 것만으로도 정말 든든한 힘이자 위로가 되었다. 교사는 동료 교사 외에 마음의 위로를 받는 일이 극히 드물다. 하지만 이제 우리 편이 생긴 것 같아 감사하고 또 감사했다. 평생 잊지 못할 감사의 제목.

추모일에 맞춰 9월 2일에 또다시 대규모 교사 집회가 열렸다. 경북 구미에서만 무려 열 대의 버스가 출발했다. 늘 두 대로만 갔었는데 분노한 선생님들의 마음이 느껴졌다. 30만 명이 모였다고 한다. 우리의 마음들이 모여 무언가가 정말 바뀌지는 않을까 조심스럽게 기대도 되었던 날이다. 특별히 학부모님의 응원을 등에 업었으니 두려울 것이 없었다. 교직 인생의 소중한 터닝포인트가 생겼다.

호들갑 달인

그림책 『플라스틱 공장에 놀러 오세요』를 읽고 미세플라스틱에 대해 조금 더 자세히 알아보았다. 아이들은 사람이 일주일에 신용카드 한 장 분량의 미세플라스틱을 먹는다는 사실에 적잖이 당황하고 놀랐다. 그런데 그 이후부터는 아이들의 잘못된 행동에 대해 지적하기가 한결 편해졌는데 이런 식이다. 계속 펜이나 학용품을 입에 넣고 빠는 아이들이 있다. 그러면 담임은 하지 말라는 잔소리에 더해 이렇게 하면 미세플라스틱이 몸속에 들어갈 수 있다고 말하면 조금 덜 잔소리 같고 걱정되어 해 주는 말처럼 느껴지게 할 수 있다. 작은 요구르트가 급식의 후식으로 나온 날 어김없이 요구르트를 뒤집어 꽁지를 깨물어 쪽쪽 빨아먹는 아이들이 있다. 그러면 담임은 말한다. 이건 미세플라스틱을 거르지 않고 곧바로 먹는 행동이라고. 그러면 깜짝 놀라서 그만두곤 한다. 딱풀을 손가락에 묻혀 끈적하게 만들며 노는 아이들이 있다. 그러면 딱풀의 화학 성분이 몸속으로 곧장 스며들어 정말 좋지 않다고, 몸속에 쌓이면 밖으로 저절로 빠지지도 않는다고 말해준다. 그냥 하지 말라고 말만 하는 것보다는 확실히 효과가 좋다. 그런데 정말 진심으로 걱정돼서 해 주는 말인데 이런 내 마음을 알려나 모르겠다.

안돼
VISA

나쁜 말 에피소드 (2)

쉬는 시간마다 내 영역까지 침범하며 신나게 노는 삼총사가 있다. 지한이가 그중 한 명인데 워낙 거칠게 놀다 보니 의도치 않게 친구와 부딪치는 일이 종종 발생한다. 원인 제공을 누가 했든지 간에 부딪친 사실이 짜증이 나는 모양. 친구에게 "아이, 씨."하고 말하는 일이 있었다. 담임은 뒤에 한 글자를 더 붙이지 않은 게 오히려 고맙지만 옆에서 그 말을 들은 아이들은 고단새 쪼르르 달려와 친구가 욕을 했다며 고자질을 해온다. 사실 나도 직접 들었기 때문에 아이들이 일러바치지 않아도 불러서 이야기를 할 참이었다. 본인이 내질러 놓고도 혼날 생각을 하니 기분이 나쁜지 가재미 눈을 해서는 겨우 발걸음을 떼서 걸어온다.

"지한아, 네가 욕한 거 맞아?"

물었더니 뜸을 들이다 겨우 맞다고 대답한다. 왜 그랬냐고 물으니 두 번째 뜸을 들이고는 "친구랑 부딪쳐서 짜증 나서요." 한다.

"같이 놀다가 그런 거고 일부러 그런 것도 아닌데 그렇게 짜증이 났어?" 하니 아무 말 못 하는 지한이. 다음부터는 과격하게 놀지 말고 기분이 나쁘더라도 욕은 하지 말자고 좋게 타이르고 넘어가려는 찰나, 지한이가 말했다.

"자꾸 입에서 욕이 나와요."

이런 솔직 고백을 들으리라 예상하지 못해서 마음이 다시 녹아내렸다.

"그렇구나. 그런데 선생님은 지한이에게 욕을 하지 말라고 말을 해 줄 수는 있지만 그 말을 할지 안 할지는 너에게 달렸어. 욕 하는 건 다른 사람이 고쳐줄 수 없고 지한이가 스스로 노력할 수밖에 없어."

했더니 끄덕끄덕 한다. 타이르면 고분고분해지니 다음엔 안 그러겠지 하는 희망을 또 가져본다. 어김없이 실망하게 되더라도 이런 솔직 고백에 쉽게 버럭 했던 모습을 반성해 보는 하루살이 남선생.

급식 에피소드 (4)

예전에 아이 반찬 하나 더 먹이려다가 민원 들어온 일이 있어서 그 후로는 급식 지도에 열과 성을 다하지 못했다. 특히나 편식이 심한 여덟 살 아이들 지도하는 게 조금 껄끄러웠다. 1학기엔 혹시나 싫은 마음에 크게 신경 쓰지 않고 특별히 더 많이 먹기를 요구하지는 않았는데, 2학기 상담 주간에 한 어머니께서 자녀가 너무 편식이 심하니 선생님께서 다 먹으라고 지도해주셔도 괜찮다고 하시는 게 아닌가? 순간 빗장이 풀리고 속으로 '앗싸!'를 외쳤다. 이제 올 것이 왔구나. 그때부터 열혈 선생 모드가 되어 국이나 찬 중에 1개라도 안 받은 것이 있으면 받아온 것 중 한 가지는 다 먹도록 했다. 하나라도 다 먹은 것이 없다면 스스로 한 가지를 선택하여 다 먹게 했다. 그랬더니 선생님이 시키기 전에 자진납세 하는 어린이들 속출.

"선생님, 이거, 이거 다 먹고 이거는 조금만 먹고 후식 먹어도 돼요? 네?"

"선생님, 국 안 받았는데 반찬 두 개 다 먹어야 돼요?"

"선생님, 이거는 너무 매워서 못 먹겠는데 밥이랑 국은 다 먹을게요."

덕분에 밥이 어디로 넘어가는지 모르겠지만 마음만은 뿌듯하다.

여덟 살에게 배우는 사회적 기술 (2)

탕후루라는 음식이 있단다. 첨엔 중국집 이름인 줄 알았다. 알고 보니 과일에 설탕 시럽을 끼얹어 굳힌 디저트 음식이었는데, 보기와는 다르게 씹는 순간 그 딱딱한 질감에 치아의 건강을 생각하게 되고 화산의 용암처럼 용솟음 칠 혈당을 걱정하게 되는 그런 맛이라 썩 즐기진 못했다. 나만 안 먹으면 그만이겠으나 실체를 알고 나니 먹는 사람을 보기만 해도 걱정부터 앞선다. 어떤 학생의 엄마는 자녀가 집에서 탕후루를 만들어 먹다가 화상의 위험에 노출됐으니, 학교에서 탕후루 만들 때 주의할 점을 교육해 달라고 교육청에 민원을 넣었다던가. 그런데 그 인기는 인정한다. 학교에서 급식에 동그란 과일이 여러 개 나오면 식탁 곳곳에서 탕후루 파티가 열린다.

오늘도 어김없이 맞은편에 앉은 지한이가 방울토마토를 젓가락에 신나게 끼우고 있었다. 사실 다 먹기만 하면 그만인데 아이들에게 하지 말라고 말하는 가장 큰 이유는 밥 먹는 게 장난스러워지면 안 된다는 생각 때문이고 다음 이유는 밥 먹는 시간이 더 지체되기 때문이다. 하지만 그냥 하지 말라고 말하는 것이 뭔가 2% 부족하다 생각되긴 했다. 그런데 마침 지한이가 방울토마토를 끼우다 토마토

과즙이 내 얼굴 눈가로 정확히 튀었다. 그 순간 나에겐 과일 끼우기를 말려야 할 대의명분이 생겼다!

"지한아, 그만 끼워. 선생님 눈에 국물 튀었잖아. 끼운 건 빼서 먹고 남은 건 그냥 먹자."

그래도 포기를 모르는 우리 어린이. 내 눈치를 슬슬 살피며 식탁 밑으로 손을 가져가 계속 과일을 끼우기 시작했다. 바로 맞은편에 앉은 어린이가 그 모습이 안 보일 거라고 생각하며 내 눈치를 보고 있는 모습이 여덟 살 다운 첫 번째 귀여움 포인트다. 실눈을 뜨며 말했다.

"지한아, 다 보여. 선생님은 발에도 눈이 달렸거든."

그러자 으하하 소리 내 웃으며 선생님은 괴물이라 외친다. 괴물이라고? 그런데 여기서 무너질 순 없지.

"선생님 괴물 맞아. 몰랐어? 그런데 선생님은 말 안 듣는 어린이에게만 괴물처럼 보여."

갑자기 뭔가 뜨끔한 듯한 표정이 두 번째 귀여움이다. 그런데 그 순간 모든 귀여움을 물리칠 강력한 한 방이 날아왔다. 바로 옆에 앉은 예은이의 한 마디.

"저는 선생님 괴물로 안 보여요!"

옆에 친구가 있든 말든 자신의 생각을 솔직하게 던지는 이 아이, 진정 여덟 살 답다. 하지만 어찌 보면 이건 여덟 살의 사회생활이다. 여덟 살 나름의 사회생활이라니, 사랑스럽다 정말. 얘들아, 나중에 '괴물'만 기억하진 말아 주라. '과일을 젓가락에 끼우지 말자.'가 오늘의 교훈인 걸 잊지 마 얘들아.

수업 나눔을 내려놓는 마음

처음 1학년을 맡고 가장 걱정했던 건 학부모와의 관계였다. 학교생활을 처음 시작하는 자녀에 대한 관심이 자칫 과해질 수가 있고, 잦은 연락이나 학교생활에 대한 여러 요구들은 모두 담임의 부담으로 돌아오기 때문이다. 오죽하면 아이가 1학년이면 학부모도 1학년이라는 말이 생겼을까 싶다. 그런 이유로 3월 둘째 주부터 매주 금요일에 한 번씩 일주일 동안 가르쳤던 내용과 읽어 준 그림책을 나누는 글을 꾸준히 올렸다. 무려 여름방학 전 바쁜 성적 처리 기간까지도. 작년에도 하고 싶었지만 업무량이 너무 많아 포기했던 일이었다. 매일 쓰기는 현실적으로 어렵기 때문에 일주일 한 번으로 결정한 것이지만 한 번이라고 해서 하루 만에 다 적을 수 있는 것도 아니었다. 수요일부터 글을 쓰고 다음 날 수업 내용을 추가하고 금요일에 최종 검토 후 글을 올리는 것까지 대충 잡아도 3시간은 넘게 걸리는 일이었다. 누가 시켜서도 아니고 점수를 받는 것도 아니지만 내가 학부모라면 자녀가 학교에서 배우는 것들이 무엇인지 궁금할 것 같았다. 그리고 내가 이렇게 열심히 가르친다는 걸 알리면 나중에 혹시나 껄끄러운 일이 생겼을 때에도 일을 매끄럽게 해결할 수 있지 않을까 하는 기대도 없지 않았다. 매주 쓴다 장담할 수 없다고는 했지만 금요일만 기다린다는 학부모님의 댓글이 큰 힘을 주었다. 관심을 가져준다는 건 정말 고마운 일이다.

그러나 자율적인 학급 운영은 정말 쉬운 일이 아니다. 이렇게 2학기에도 꾸준히 이어가던 수업 나눔을 할 수 없게 된 일이 생겼으니, 2학기 상담 기간에 다른 반에서 사진을 올려달라는 요구를 한 학부모가 있다고 했다. 그것도 여러 번이란다. 사진을 올리면 자녀의 얼굴 표정, 빈도수, 다른 반과의 비교 등 민원이 워낙 많기 때문에 학년 초에 동학년 선생님들끼리 사진을 올리지 않기로 약속을 한 사실이 있었다. 그래서 나도 얼굴 사진보다는 수업 결과물이나 책 표지와 내용 위주로 글을 올리곤 했다. 하지만 내가 올리는 사진 때문에 다른 반 선생님이 비교를 당하며 강요를 받는 일이 생겼다면 어찌 맘 편히 우리 반만 좋자고 계속 그 일을 운영할 수 있겠는가. 결국 고민 끝에 수업 나눔을 할 수 없게 되었다고 알리는 글을 적었다. 하고 싶은 걸 포기하는 것이 아쉬운 한편 나는 동료들 없이는 이 자리에서 버틸 수 없기 때문에 그런 동료들에게 폐를 끼치고 싶지 않은 마음이 더 크다. 아직 갈 길이 아득하다.

안녕하세요 학부모님, 이번 주는 3일밖에 되지 않는 데다 지난주 출근을 하지 못해 돌아오니 할 일이 너무 많았네요. 밀린 채점부터 교실 정리에 상담까지 정말 정신이 없었습니다. 수업 나눔 드리고 싶은데 도저히 시간도 체력도 안 되어 양해 부탁드립니다.

제목을 무겁게 적고 보니 걱정도 되고 민감한 사항이기도 하지만 말씀을 드리려고요. 얼마 전 다른 반에서 학급 사진을 올려달라고 반복 요구하는 민원이 있었다고 합니다. 수업 중 사진을 찍는 데는 생각보다 많은 에너지가 필요하며 평소에는 모르는 것 알려주고 서툰 것 도와주고 하다 보면 가끔씩 아이들이 스스로 잘하고 있어 여유가 될 때만 찍을 수가 있는데요. 그래서 저도 수업 모습보다는 책 내용이나 학습 결과물을 주로 찍어왔지요. 하지만 여러 해 동안 사진에 자신의 자녀가 나오지 않거나 표정이 이상하다고 하는 등의 민원이 수차례 발생하여 교사들은 점점 사진을 아예 올리지 않게 되었습니다.

이런 사정으로 저희도 사진을 올리지 않기로 한 사항이 있었으나, 저는 제가 좋아서 하는 일인데 수업 나눔을 하려는 의도와는 다르게 이것으로 인해 다른 반에 피해가 발생하였다면 저도 주춤하게 되는 게 인지상정인 것 같습니다. 서운한 말씀드리게 되어 죄송합니다. 이것 또한 공교육이 정상화되어 가는 과정이라 생각이 됩니다. 담임이 자유롭게 사진을 올릴 수 있으려면 학급을 비교하는 여론이나 문화가 사라져야만 가능하거든요. 본의 아니게 피해를 주게 되어 저도 횟수를 줄이거나 사진 없이 글만 올리는 등의 간소화가 필요해 보여서 말씀드리게 되었습니다. 양해를 부탁드립니다.

그리고 현재 학교 교칙이 재정비를 준비하고 있는데요, 그와 별개로 학급에서 제가 시행하고 있는 학급 규칙을 설명드리니 협조 부탁드립니다.

1. 과제 제출 시
- 날짜를 지키지 않았을 경우에 남아서 숙제를 합니다.
- 남아서 하기가 어려운 피치 못할 사정의 경우 숙제가 1개 더 추가되어 다음 날까지 과제를 제출합니다.

※ 여기서 피치 못할 사정에는 아직 한글을 스스로 적을 수 없는 등의 사정이고, 학원을 가야 하는 내용은 해당되지 않습니다. 따라서 숙제 확인을 꼭 부탁드리며, 앞으로 스스로 확인할 수 있을 때까지 계속 연습이 되어야 하겠습니다.

2. 수업 방해 행동 시
- 동일한 행동 반복으로 세 번 누적하여 지적받았을 시 5분간 교실 뒤로 나가서 서있는 타임아웃제를 실시합니다.
- 나가 있을 동안 수업에 참여하지 않거나 잘못 행동을 반복할 경우에 시간이 늘어나기도 합니다.
- 아주 가끔이지만 수업 진행이 정말 어려울 경우에는 상담실에 상담 요청을 드려 학생이 상담실로 이동할 때가 있습니다. (다음 시간 교실 수업 복귀)

3. 급식 지도 시

- 편식 지도를 따로 부탁하신 학생 외에도 전체적으로 편식이 심하여 개인적으로 다 먹으라고 지도하고 있습니다.
- 국이나 찬 중에 1개라도 안 받은 것이 있으면 받아온 것 중 한 가지는 다 먹도록 지도합니다.
- 더 먹고 싶은 음식이 있을 때는 잔반의 양에 따라 판단하여 받도록 합니다. 다른 반찬을 너무 많이 남겼을 때는 먹고 싶은 반찬을 더 주지 않습니다.
- 하나라도 다 먹은 것이 없이 다 남겼을 때에는 스스로 한 가지를 선택하여 다 먹게 하고 있습니다.

지도하지 않으면 더 편할 때도 있지만 사명이 있는 교육자로서 저는 이건 학교의 당연한 역할이라고 생각됩니다. 혹시 궁금한 사항이 있으면 댓글이나 클래스톡으로 남겨주시면 연락드리겠습니다. 주말 연휴 잘 보내세요 :)

과자 먹을 자격, 그것은 열심

2학기 들어 일주일에 두 번 은성이는 남아서 40분 더 공부를 한다. 3학년 오빠의 정규 수업이 끝날 때까지 기다렸다가 아동복지센터에 함께 가야 하기 때문이다. 그런데 수업을 하기 위해 2학기 내용을 공부할 거라고 제출한 계획서는 아무 소용이 없다. 아직 한글을 온전히 터득하지 못한 까닭이다. 아직 모음 순서도 헷갈려하고 받침 있는 글자 읽기도 거의 안 된다. 그래도 포기하기는 이르다. 금방 잊어버리더라도 가르치고 또 가르친다. 잘못된 획순을 바로잡아 여러 번 써보고 받침 없는 글자부터 차근차근 다시 읽어본다.

기초 받아쓰기 교재로 공부를 하고 있는데, 그날은 단모음 'ㅐ', 'ㅔ'와 이중모음 'ㅘ'를 배우게 됐다. 여러 가지 낱말 중 해당 모음이 들어가는 음절에 ○, △, □와 같이 서로 다른 모양으로 표시도 해보고 여러 번 읽기 연습을 했다. 그러나 아직 받아쓰기 단계로는 넘어가지도 않았는데 읽기부터 복병이 찾아왔으니 바로 '과자'였다.

'과자' 읽기가 뭐가 그렇게 어렵지 했지만 은성이에겐 쉬운 일이 아니었다. '와'라는 발음을 가르치고 '과자'를 천천히 한 음절씩 불러 주었더니 그걸 따라 한다는 것이 '과좌' 하는 것 아닌가? 영어도 아니고 혀를 이렇게 굴리니 웃음이 나왔지만 아니라고 하고 다시 발음해 주었다. "과,자. 은성아, '과'에만 'ㅘ'를 붙이고 '자'는 '좌'가 아니고 '자'라고 발음해서 과, 자 라고 해야 돼." 하지만 이번엔 입으로 여러 번 되뇌더니 '가자'라고 한다. 한쪽만 'ㅘ'를 붙이는 발음이 안 된다. 10번 정도 반복했는데도 안 된다. 과좌, 가자, 과좌, 가자... 열심히 연습하지만 안 되는 걸 보니 이게 뭐라고 싶어 한숨이 새어 나왔다.

10분이나 '과자'로 실랑이를 한 뒤 종이 쳐서 할 수 없이 수업을 마쳤다. 하교하기 위해 마무리 정리하라는 말에 우리 어린이는 씩씩하게 말한다.

"선생님, 오늘 과자 줘요?"

매시간 간식을 나누어 주기 때문이다. 그런데 나는 분명 들었다. 은성이가 정확히 '과자'라고 발음한 것을!

"공부 열심히 했으니까 당연히 주지. 그런데 은성아, 다시 '과자' 해볼래?"

포기할 수 없는 끈질긴 담임. 과자 준다는 말에 기분 좋은 우리 은성이가 씩씩하게 외친다.

"과! 좌!"

허탈한 웃음 허허 한 번 웃고 맛있는 고래밥 과자를 은성이 손에 건네주었다.

제4부 겨울

순수하게 성실한 여덟 살

작년부터 학급 아이들과 우유팩 모으기를 하고 있다. 아이들이 할 일은 우유를 먹은 뒤 팩을 물에 세 번 정도 깨끗이 헹궈주기만 하면 된다. 그럼 나는 다음 날 마른 우유팩을 빠른 손놀림으로 찢어 잘 보관한다. 상자 가득 모일 때까지 매일매일 한다. 모은 우유팩은 지역 관공서에서 1kg 당 20L 쓰레기봉투 2장과 교환을 할 수 있다. 1학기 가득 모았더니 무려 10kg이 모여 쓰레기봉투를 20장이나 받았다. 그래도 아이들 수보다 모자라 우리 집에 있는 봉투 3장을 더하여 아이들 모두에게 한 장씩 나누어 주었다. 쓰레기봉투가 돈을 주고 사려 해도 그리 비싼 금액은 아니지만 4월부터 7월까지 넉 달 동안이나 열심히 애써 준 아이들이 참 고맙고 또 고맙다. 우유를 먹은 아이들에게만 줄까 싶다가도 이런 활동을 할 수 있다는 걸 널리 알리고 싶어서 모두에게 1장씩 나누어 준다.

하지만 이건 매우 귀찮은 일인 것은 분명하다. 바빠서 하루만 미루어도 다음 날이 되면 바구니에 뜯지 않은 빈 우유팩이 차고 넘치곤 했다. 작년엔 3학년 아이들을 가르쳤는데 아이들이 우유팩 씻는 것이 야물지 못해 오히려 내가 다시 씻는 두 번 일을 할 때가 많았고 처리할 업무도 많아 우유팩이 금세 넘치기 일쑤였다. 씻지 않고 말라버린 우유팩을 다시 깨끗이 씻으려면 처음 헹굴 때보다 물도 더 필요하고 시간도 많이 들어갔는데 어쩔 땐 다시 씻기를 포기하고 할 수 없이 쓰레기통에 버릴 때도 있었다. 아무리 생각해도 주객전도라는 생각이 들었다. 여차저차 1년 동안 마지막까지 포기하진 않았지만 올해 도전은 망설일 수밖에 없었다.

열 살도 겨우 해내던 일을 학교에 처음 들어온 여덟 살이 과연 할 수 있을까 걱정이 되었다. 씻는답시고 우유나 물을 다 쏟아버리면 어쩌나, 제대로 못 씻어 내가 일일이 다 씻어 줘야 하면 어쩌나, 교육적인 효과가 미미하면 어쩌나, 교육의 본질과 어긋난다는 민원이 들어오면 어쩌나... 걱정은 끝도 없었다. 하지만 학급 환경 실천을 포기할 수는 없기에 우유 급식일이 확정된 후 해보자고 덜컥 말을 던졌다. 과연 결과는 어떻게 됐을까? 우리 1학년들은 내가 예상했던 것보다 훨씬 더 성실했다. 아주 가끔 씻는 걸 깜빡하는 어린이는 있어도, 씻었는데 지저분한 것은 없었다. 게다가 환경 실천에 뜻이 있는 걸 아시는 다른 동료 선생님께서도 가끔 몇 개 씩을 보태 주셨으니... 한 학기 만에 10kg의 우유팩을 모을 수 있었던 것이다.

우유팩 모으기는 2학기에도 쭉 이어가고 있다. 날이 건조해져서 팩 건조가 잘 되는 건 큰 장점이긴 하나, 날이 갈수록 우유를 먹지 않는 아이들이 늘어나고 급식 취소 신청을 하니 모이는 속도가 확실히 더디긴 하다. 교환해서 받는 쓰레기봉투가 모자란다면 사비를 들여서라도 다시 모두에게 1장씩 나누어 주려고 한다. 나의 꼬꼬마 제자들과 그 학부모들의 환경 감수성이 자라난다면 쓰레기봉투 열 장쯤은 얼마든지 가치 있는 소비라고 생각된다. 환경 실천을 전하고 싶은 담임의 작은 날갯짓이 태풍이 되어 불어주기를.

나쁜 말 에피소드 (3)

수 배열을 보고 규칙을 찾고 나만의 규칙을 만들어 문제까지 내보는 수학 시간. 보통 내용 설명이 20~25분 정도고 나머지 시간에 수학익힘책 문제를 풀도록 한다. 그런데 만든 문제를 짝과 함께 내고 맞히라고 했더니 앞에 나와 전체 아이들에게 문제를 내고 싶다는 어린이들 속출. 결국 수학익힘책은 집에 가서 숙제로 해오는 데 동의한 아이들 한 명씩 나와 실물화상기로 자신이 낸 규칙 찾기 문제를 보여주고 맞히게 되었다. 문제를 보여주면 빈칸에 들어갈 수를 생각해서 이야기해야 한다. 제법 다양하고 괜찮은 문제들이 많이 나와서 원리 설명을 하고 칭찬을 해주고 있던 찰나, 갑자기 지한이가 말했다.

"선생님, 지금 욕 했어요?"

이게 무슨 말이지? 선생님은 수학 문제 정답을 설명했을 뿐인데. 알고 보니 문제의 규칙을 설명할 때 들린 말을 '이씨'로 잘못 알아들은 것이다.

"이 문제 규칙은 뭔가요? 맞아요. 11부터 시작해서 2씩 커지는 규칙이에요. 잘했어요."

여기서 '2씩'을 '이씨'로 들은 것이다. 물론 그럴 수도 있지만 입에서 자꾸 욕이 나온다는 지한이가 말해서 조금 많이 속상했다. 그런데 속상해도 가만히 있을 걸. 입이 방정이었다.

"얘들아, 평소에 욕을 자주 사용하면 다른 사람 말이 그렇게 들릴 수가 있어. 수학 시간에 '18'을 말해도 욕 한다고 말하는 형님들이 있었거든. 그러니까 예쁜 말만 쓰도록 노력해 보자."

그랬는데 어린이들 대답 듣고 좌절한 담임.

"18이 욕이에요?"

미안해, 얘들아. 아, 정말... 흑. 울고 싶어라. 엉엉.

그림책 읽어주는 선생님

그것도 엄청 많이 읽어주는 선생님. 바로 나다. 하루 한 권은 꼭 읽어주려 애를 쓰고 못 읽은 날이 있으면 그다음 날은 배로 더 읽어준다. 감기 때문에 목이 아플 때를 제외하고는 거의 직접 목소리로 읽어주고 있다. 마음은 그렇다. 그림책을 분야별로 많이 읽고 공부한 뒤 그림책과 수업을 연결하는 작업을 거쳐 학습 자료 개발까지 일련의 과정을 반복해 연구하고 싶다. 당연하지만 교사로서 수업 준비가 제일 신나는 일이다. 그런데 현실은 다른 선생님이 해주신 연수를 듣고 그 자료에 적힌 그림책을 빌려 읽거나, 인디스쿨에서 다른 선생님이 올려주신 자료를 내려받아 거기에 소개되어 있는 그림책을 프레젠테이션으로 휙휙 넘겨보거나. 사실 그것 조차도 여러 과목 수업을 준비하다 보면 버겁게 느껴진다. 다른 선생님의 자료를 빌어 겨우 수업 준비를 마치고 마음에 드는 그림책을 만나면 소장하기 위해 사기도 하고, 학교 도서관과 지역 도서관 어디에도 없는 책인데 꼭 읽어주고 싶은 책은 개인 용돈으로 자주 구매도 한다.

읽어 준 책들은 교실 책장 위에 북스탠드로 전시하여 수시로 가져가서 읽을 수 있도록 게시한다. 차로 5분 거리인 지역 도서관도 정말 자주 드나들었다. 학교 도서관에서 도서 구입할 때 연수 자료에 제공된 그림책 목록 중 도서관에서 구할 수 없는 책들을 신청하여 교실에 보관해 읽고 있다. 학교 도서관 책이 혹여나 다른 반 학급 도서로 대출이 되어있으면 그 반 선생님께 말씀드려 2주 정도 빌려 읽히기도 한다. 이유는 하나뿐이다. 아이들이 읽어주는 그림책을 재미있게 듣고 책의 재미를 느끼게 해주고 싶은 마음. 그런데 집에 와서 내 아이가 읽어달라는 그림책은 너무 힘들어서 거절하거나 다음으로 미룰 때가 많다. 아들들한테는 미안하지만 반 아이들에게 책 읽어주는 게 더 신이 난다. 스무 명이 넘는 아이들이 책에 집중하며 웃고 속닥거리는 모습이 더 기분이 좋다.

얘들아, 이런 선생님 또 없다. 있을 때 잘해.

위험했던 깜빡 Best 3

3위 성적 통지일에 성적표 나눠주는 것 깜빡하기

이미 성적표 외에도 중요한 안내장 관련해 여러 번의 전력이 있어 '이번에는 절대 잊지 말아야지!' 하고 아이들 눈에는 안 띄면서도 내 눈에는 띄는 책상 한 곳에 아주 잘 올려 두었다. 베테랑 선생님은 아침 활동 시간에 이미 나눠주었다 하셨다. 그런데 성적표를 나눠 주면 시끌시끌 소란함과 가방에 넣으라는 안내도 무시당할게 눈에 선하니 나는 절대 일찍 나눠주지 않겠다 다짐을 하고 있었다. 집에 가기 직전에 줄 거야. 청소 끝내자마자 자리 앉히고 나눠주고 인사해야지. 하지만 이런 다짐은 지켜지기가 힘들다. 원래 정리할 때 '잘' 놔둔다고 두면 더 기억이 안 나는 법이다. 학년말 성적표는 그냥 아침에 만나자마자 나누어 줘야겠다. 그날 알림장엔 원래 성적표 배부일이 아닌 것처럼 숙제와 준비물 외에 아무 말도 적지 않았다.

2위 학생에게 문제 생긴 날 당일 연락 깜빡하기

이건 결코 지켜져야 하는 문제이지만 정말 의도치 않게 정신없는 학교 일정에 허덕거리다 보면 퇴근 시간까지 연락해야 한다는 생각을 정말 까맣게 잊기도 한다. 불찰이 확실하기에 다음 날 연신 죄송하다는 소리가 나오지만 한편으로는 똑같이 아이 키우는 입장에서, 서서히 나이 들어가는 중년 한 사람의 입장에서 학부모님들의 너그러운 이해와 아량을 바라게 된다. 속상한 마음도 백 퍼센트 이해하나 2% 정도의 마음의 여유를 베풀어 주셨으면 좋겠다.

1위 현장 체험 학습 가기 전에 안전교육 깜빡하기

다음 날이 명색이 1학년 첫 현장 체험 학습인데 전날 동학년 회의 모였다가 선배들 이야기 듣고 아차차 했다. 이거 큰일 났네. 나눠주라는 것도 깜빡하고, 제일 중요한 안전교육도 빼먹어 버린 막내. 안전교육 PPT를 사진 파일로 저장해서 죄송하다 말씀드리고 클래스팅에 올릴까 생각도 했으나, 아침 출발 전에 후다닥 할 수 있겠지 싶어서 이내 생각을 그만두었다. 그리고 다행히 다른 학년이 먼저 출발을 했기 때문에 1학년은 15분 정도의 여유가 있었는데 그 시간에 중요한 안전교육을 완료할 수 있었다. 게다가 7분이 넘는 '우당탕탕 아이쿠' 동영상까지 보여줄 수 있었으니... 휴. 사실 현장 체험 학습에 가지 않아도 평소에 하는 안전교육의 연장으로 별거 아니라는 생각이 들지만 혹시라도 아이들이 다쳐서 책임의 문제가 될까 봐 마음이 조마조마하다. 2학기 들어서는 그 책임의 문제와 노란 버스 문제까지 겹쳐 학교마다 찾아오는 체험학습으로 많이 변경하기도 했다. 안전교육은 그래서 너무 중요한 문제인데 큰 문제가 생기지 않아 다행으로 여긴다. 경력이 쌓여도 하루하루 하루살이처럼 살아가고 있다.

OMG

어린이는 눈물을 먹고 자란다

입학식 바로 다음 날, 키대로 줄을 세워서 자리를 정해주고 자기 물건 정리를 시켰는데 갑자기 맨 앞 줄에 앉은 서은이가 울기 시작했다. 바로 알아채지도 못할 정도로 흐느껴 울었는데, 보자마자 '혹시 알러지 반응이 일어났나? 어디가 불편한가?' 하는 생각이 들어서 바로 어디가 불편하냐고 물었더니 도리질을 한다. 그럼 친구가 기분 나쁘게 했냐고 물어도 도리도리, 엄마 보고 싶냐 해도 도리도리. 진정되고 이야기하자고 다른 애들 챙겨주고 한참이 지나서야 겨우 이야기를 나누었다.

"왜 울었어?"

그랬더니 대답이 명언이다.

"집에 가고 싶은데 못 가."

속으로는 너무 웃기고 귀여웠는데 차분하게 달래고 설명해주었다.

"유치원에서는 어떻게 했어? 학교도 마찬가지야. 단, 너무 아파서 공부를 할 수 없을 때나 피치 못할 사정이 있을 때만 집에 갈 수 있어."

라고 알려주었다. 끄덕끄덕 하고는 조금 뒤에 울음을 그쳤다. 안도의 한숨 발사. 비록 30분 치의 눈물이 흘렀지만. 휴.

그로부터 한 달이 조금 더 지난 날, 3교시 수학 시간 중간에 서은이가 또 울음을 터뜨렸다. 안 그쳐서 쉬는 시간에도 말 못 하고 4교시 만들기 활동 시작하며 겨우 울음을 그쳤는데 이유는 5교시 마치고 말하고 싶다고 하길래 기다렸더니 결국은 집에 가고 싶다는 것이 이유였다.

"왜 가고 싶었어?"

"힘들어서요."

"뭐가 힘들었는데?"

"수학에 모양 찾아서 색깔 동그라미 하는 거요."

대답을 듣고 나니 아이가 더 안쓰럽게 느껴진다.

"그게 힘들었어? 그렇구나. 그런데 오늘은 모양을 처음 배우는 것이기 때문에 어려운 게 당연해. 그리고 틀려도 다시 고치면 되니까 괜찮아."

완벽주의 성향이 강한 서은이가 얼마나 답답했으면 울음을 울었을까 싶으니 조금 걱정스러운 마음도 들고 아이 스스로의 마음 회복을 위해서도 그런 성향이 조금 누그러졌으면 싶은 마음이 들었다. 방과후 수업에 조금 늦었기에 어머니께 확인 전화가 와서 자초지종을 말씀드렸더니 감사하다고 집에서 이야기해보겠다고 하셨다. 밀가루, 유제품 알러지가 심해 식단 관리도 엄청 힘드실 것 같았는데 여러 모로 아이 키우기는 정말 쉽지 않다. 어머니, 사실 담임도 완벽주의 성향이 있습니다. 실력이 뛰어나진 않지만요.

이후로도 서은이는 종종 울었다. 인사만 하면 하교하는 종례 시간 직전에 울기 시작한 날도 있었다. 집에 가기만 하면 되는데 왜 우는지 궁금했으나 혹시나 아픈 마음을 더 건드려 대답을 안 할까 봐 말하고 싶을 때까지 기다려 준다고 했더니 10분 넘게 울고는 겨우 진정했다.

"서은아, 어디 불편해? 왜 울었어?" 했더니 훌쩍이며 겨우 운을 뗀다.

"방과후 미술 하기 싫은데 엄마가 계속하라고 해요."

말하면서 또 서러운지 훌쩍거림이 더 큰 울음이 된다. 하지만 싫다고 포기하도록 둘 수 없는 엄마의 마음도 이해하기에 다시금 토닥였다.

"서은아, 미술 수업이 많이 힘들구나. 그런데 뭐든지 처음엔 힘이 든 게 당연해. 선생님이 서은이 엄마였어도 딸이 포기하지 않고 끝까지 해내는 모습을 보고 싶을 것 같아. 서은이가 우리 반에서 그림을 잘 그리는 어린이로 뽑히는 이유도 모두 서은이의 노력이 있어서 그런 거야. 선생님은 서은이가 앞으로도 잘할 수 있을 것 같은데 힘들어도 조금만 더 참아보는 게 어떨까?"

긍정의 끄덕거림과 함께 울음도 그쳤다. 손을 내밀었다. 내 손을 꼭 잡은 서은이를 방과후 교실로 데려다주고 미술 선생님께 텔레파시를 보냈다.

'선생님, 우리 서은이 미술 하기 힘들다고 울었는데 오늘 수업 잘 부탁드립니다.'

선생님, 제 텔레파시 받으셨죠?

다른 아이들 기준으로 꽤 자주 울던 서은이가 2학기 들어서는 딱 한 번 울었는데, 이번엔 우는 이유가 너무도 뻔하여 서은이가 운다는 아이들의 말에도 알겠다고 한 번만 말하고는 관심을 두지 않았다. 그래서 그런지 모르겠지만 금세 울음을 그친 서은이. 정말 기특하고 장하다. 아이들은 모두 자기만의 속도가 있는 것 같다. 학년말이 다 되어가는 지금, 이제 더이상 우는 모습은 볼 수 없다. 긴장의 끈을 놓을 수는 없지만 그래도 참 대견하고 기특하다. 너, 눈물 먹고 많이 자랐구나.

교사로서 가장 힘이 빠지는 순간

짧게 마치려던 통화를 25분이나 하고 마쳤다. 수화기를 내려놓는 마음이 방망이질을 친다. 교실이라는 작은 사회에는 당연히 다양한 아이들이 있다. 하지만 수업을 방해하는 행동이나 예의를 지키지 않는 행동 같은 것은 다양성 안에서 이해하고 넘어갈 수 없는 문제다. 어리다고 이해하고 넘어갈 수도 없는 문제다. 하고 싶어도 해서는 안 되는 잘못된 행동은 바로잡고, 하기 싫어도 해야 하는 것은 꼭 할 수 있도록 가르치는 것이 교사의 역할이다. 그리고 이것은 학교에서만 교육한다고 해서 되는 것이 절대 아니기 때문에 가정에 알려 협조를 요청하게 된다. 물론 조심스러운 부분이긴 하나 아이의 행동에 대해 인식했다면 그것을 바로잡아나가기 위해 그때부터 부모님이 교사와 원팀이 되어주셨으면 좋겠다. 아이가 수업 때 문제 행동을 하는 것이 선생님 수업이 지겨워서라거나, 그저 넘어갈 수 있는 일인데 선생님이 너무 예민한 시선으로 아이를 본다거나 하는 말을 들으면 정말 힘이 빠진다. 맞는 말일 수 있다. 하지만 자식이 어긋나는 길을 가기를 원하는 부모는 없지 않은가. 부모도 아이를 사랑하는 마음으로 때로는 혼도 내고 훈육도 하는 것이지 않은가. 1학년 담임은 특히 더 아이들의 '학교 엄마'가 될 수밖에 없는데, 아이들의 잘못을 이야기하는 것에 대해 지적한다고 생각하지 말고 함께 고쳐나갈 기회가 왔다고 생각해 주셨으면 좋겠다. 문제 행동을 모르는 척 방치하는 교사를 원하지 않으신다면 말이다.

'당근'에서 건반 구입한 사연

10년이 갓 넘은 짧은 교직 인생이지만 한 번도 교실에 피아노가 없었던 적이 없었다. 초임 때는 합창단 지도 특명을 받으며 5학년 교실로 업라이트 피아노가 들어왔다. 물론 노래를 직접 지도한 건 아니지만 2년 동안 합창단을 관리하고 교실을 연습 장소로 내어주니, 일은 힘들어도 피아노 치는 맛을 즐길 수 있어 좋았다. 합창단 일이 내 곁을 떠났을 때 2년을 품었던 피아노도 함께 보내야 했다. 하지만 실망은 금물. 학교엔 의외로 쓰지 않는 디지털 건반이 제법 있다는 사실. 그렇게 첫 임지에 있는 4년 동안 음악 시간에 피아노로 반주를 하며 수업을 하는 선생님으로 제자들의 기억에 남았다.

은사님이 계시던 학교로 이동을 했는데 처음에 받은 교실이 방과후교실을 개조한 곳이어서 그 넓이가 다른 교실의 1.5배쯤 되었다. 아이들의 공부 공간과 노는 공간을 따로 쓸 수 있어서 좋았지만 뒷게시판은 다른 교실의 두 배여서 힘들었다. 그나마 가장 좋았던 건 낡은 업라이트 피아노 한 대가 있다는 것이었다. 없으면 일부러 달라고 할 생각이었는데 교실에 이미 주리를 튼 피아노가 있으니 이것 또한 감사한 일이었다. 그 해 아이를 낳고 잠시 학교를 떠나 있다 3년 후에 다시 복직을 했을 때 그때도 나는 피아노부터 찾았다. 감사하게도 안 쓰는 디지털 피아노가 3대나 되었다. 그중 가장 깔끔해 보이는 피아노를 교실로 들여와 신나게 쳤다. 해마다 이사를 다니면서도 이고 지고 끌고 다녔다.

다시 학교 이동을 했다. 지금의 학교는 오케스트라가 있어 악기 소리가 수시로 들려왔는데, 예상외로 건반을 쓰지 못하게 했다. 주인 없는 악기를 보관만 하는 것이 이해되지 않았지만 학교 방침이 그렇다는데 어쩔 수 없었다. 다행히 1학년 교육과정에는 피아노 반주로 부를 수 있는 노래보다 국악 노래가 많아서 한 학기는 피아노 없이 잘 지냈다. 하지만 피아노가 없는 교실이 못내 아쉬웠다. 2학기가 시작되던 날, 당근 앱에 '88건반'을 키워드로 등록했고 피아노와 동일한 88건반을 가진 저렴한 건반이 올라오기를 기다렸다. 마지노선이 되는 금액을 정한 건 아니지만 일주일에 한 번 꼴로 올라오는 건반을 보며 마음을 쟀다. 보통 30만 원 정도의 제품이 올라오곤 했는데, 정말 마음에 들었지만 현금 박치기로 선뜻 쓰기에는 큰 금액이라 쉽사리 사겠다는 채팅을 보낼 수가 없었다. 가끔 정말 저렴한 건반 알람이 떴는데 수업 중이라 놓친 적도 몇 번이 되었다.

추운 계절이 다가오고 언제까지 기다리기만 할지, 어차피 내가 사용할 건데 저렴한 새 제품을 알아볼 것인지 갈팡질팡 고민하던 어느 날 우렁찬 '당근' 소리가 울렸다. 인터넷 레시피를 켜놓고 저녁 밥을 짓던 중이었는데 알람이 울리자마자 곧바로 열었더니 믿을 수 없는 금액의 건반이 올라왔다. 무려 6만 원! 판매자가 올린 제품명을 살펴보고 얼른 브랜드 검색을 마친 다음 사야겠다 결심하고 다시 살펴보니 관심 2개와 채팅이 2개가 있었다. 1분도 되지 않는 그 시간 동안 발 빠른 움직임들을 보니 나처럼 키워드를 넣어놓은 게 분명했다. 얼른 채팅을 보냈다. 마음이 급해서 인사를 놓칠 뻔했지만 정신 차리고 메시지를 보냈다. "안녕하세요. 건반 구매할 수 있을까요?" 이미 채팅 두 건으로 거래가 끝났을 수도 있다고 생각했는데 의외로 "네."라는 대답이 돌아왔다. 당장 오늘 거래할 거냐는 물음에 저녁 식사 후 바로 갈 수 있다고 했더니 오케이 사인이 돌아왔다. 야호!

차로 25분이 걸리는 곳까지 가서 드디어 저렴한 88건반을 손에 넣을 수 있었다. 거듭 감사 인사를 드리고 집으로 오는 길에 빨리 출근이 하고 싶어 기다려지긴 오랜만이었다. 그렇게 오래 기다려 교실에 건반을 들일 수 있었으니, 무려 11월 17일이었다. 남은 2학기 50일 남짓을 이 건반과 잘 보내야지 결심했다. 겨울 교과서에 있는 '아름다운 나라'를 배우고 '다섯 글자 예쁜 말'이라는 노래 악보를 나눠주고 또 함께 불러보았다. 종이 쳤고 수업은 끝났는데 나의 연주는 그칠 수 없었다. 백이면 백 역시나 아이들은 건반을 치는 담임 주변으로 몰려들었다. 게다가 처음 보는 모든 게 신기한 1학년 아닌가. 내가 치는 노래를 따라 부르는 아이, 우와 하며 자주 감탄하는 아이, 장난으로 건반을 건드리며 방해하는 아이, 그런 아이를 향해 "야! 하지 마!"하고 말리는 아이까지.. 그 풍경은 10년 전이나 지금이나 변함이 없다. 실력이 엄청난 것도 아닌데 늘 감탄해 주는 아이들이 있어 늘 피아노로 잘난 척할 수 있었던 담임이다.

그제는 통합 겨울 수업 만들기 시간에 '멋진 눈사람' 노래를 부르고 율동도 해보았다. 조금 아쉬운 건 연주를 하면서 가끔 건반을 봐야 하기 때문에 아이들의 얼굴만 바라볼 수 없다는 것이었다. 실력이 더 좋아져서 노래 부르는 아이들의 얼굴을 더 많이 바라보고 싶다. 이런 내 맘을 아는지 모르는지 노래 부르기를 싫어해 입을 꾹 닫고 있는 아이를 보면 속상하고 안타까운 마음이 든다. 이 신나는 걸 왜 즐기지를 못하니? 다음으로는 크리스마스 노래 영상 촬영을 할까 하여 '크리스마스에는 축복을'이라는 노래를 불러보았다. 그런데 G코드의 악보를 뽑고 보니 음이 많이 높았다. 선창을 하기가 벅차 즉석에서 F로 키를 낮춰 연주하느라 조금 버벅거리며 연주를 했다. 아이들에게 양해를 구하는 말을 했지만 잘 치지는 못했기에 찝찝함이 남았다. 하지만 나는 그날 피아노와 함께 했던 교직 인생을 통틀어 최고의 칭찬을 들었다. 방과후 수업을 마친 혜진이가 교실 앞문을 살짝 열더니 "선생님, 안녕히 계세요." 하며 인사를 했다. 잘 가라고 양손을 흔들며 인사를 했더니 혜진이가 갑자기 엄지 손가락을 세우며 말했다. "선생님, 오늘 피아노 최고였어요!" 갑자기 훅 들어오는 칭찬에 정신이 아찔. 흔들던 양손을 더 신나게 흔들며 고맙다는 미소를 날렸다. 눈에 고인 눈물은 못 봤겠지? 족

보 없는 코드 반주를 마음대로 신나게 휘갈기는 걸로 '피아노 엄청 잘 치는 우리 선생님'이라는 칭찬을 매해 듣는다. 이러니 내가 피아노를 포기할 수가 없다.

급식 에피소드 (5)

사실 나는 젓가락질을 잘 못 한다. 방법을 제대로 배우지 못해 조금 어설픈 모양새이고 반찬을 잘 흘리기도 하는데, 처음 발령을 받았을 때 남동생이 충고를 한 적이 있다. 학생들 앞에서 젓가락질 그렇게 하면 안 된다며 다시 연습하라고 했다. 나는 젓가락질이 엄청 티 나는 것도 아니고 어차피 아이들은 스스로 다 할 수 있으니 내가 가르칠 일이 없어서 괜찮다고 했었다. 그런데! 1학년을 맡고 보니 젓가락질을 갓 배운 어린이들이 많아 내가 가르쳐 줘야 할 판이다. 수업 시간에 젓가락질하는 법을 알려주며 속으로는 얼마나 뜨끔하던지. 선생님은 잘하는 것처럼 실컷 떠들고 나니 급식 자리를 아이들과 조금 떨어져 앉을까 하는 생각이 들었다. 다행히 옮기지 않고 몇 달이 지났지만 선생님 젓가락질로 질문하는 아이는 없다. 이제 겨울방학까지 한 달 남짓. 조금만 더 버티자.

마니또

통합 겨울 수업 시간에 마니또를 뽑았다. 뽑기 상자에서 조심조심 하나씩 뽑아 펼치고 나에게만 알려주고 다른 친구들에게는 절대 비밀을 지키도록 했다. 진도가 빠듯하여 일주일밖에 시간을 못 주게 됐다. 일주일이라 해봤자 5일이고 월요일 4교시에 뽑았으니 마니또에게 봉사를 할 수 있는 시간이 월요일을 제외한 4일뿐이다. 미션지를 나눠주었다. 친구에게 먼저 반갑게 "안녕!"하고 인사하기, 친구 자리를 청소해 주거나 친구에게 물건 빌려주기, 친구가 모르는 것을 친절하게 알려주기 등 여러 가지 미션을 알려주고 최대한 많이 하도록 격려했다.

비밀 유지를 해 달라 신신당부를 했는데, 비밀을 알면 당연하게 입이 근질거리는 법이다. 물어보는 사람이 없으니 오히려 친구에게 자기 마니또를 맞춰 보라며 퀴즈를 내기에 비밀 공개하면 절대 참여할 수 없다고 엄포를 놓았다. 공개 하루 전날 2시간을 꼬박 투자해 크리스마스 카드도 만들고 편지도 쓰게 했다. 중간중간 미션지 잘하고 있는지 확인했고 4일은 금세 지나갔다.

드디어 비밀친구의 비밀 공개하는 날! 떨린다는 아이들이 너무 귀엽다. 이미 눈치를 챘지만 모르는 척 비밀 유지를 잘해주는 아이들은 어른스럽다. 선물은 내가 준비한 작은 양말 상자를 하나씩 나눠주었고, 비밀친구 공개되면 그 친구에게 선물과 편지를 함께 전달하며 “내가 너의 마니또였어. 앞으로도 우리 사이좋게 지내자.” 라고 말하기로 했다. 제일 앞번호인 아이가 먼저 출발하면 받은 아이가 또 주러 가고 반복해서 진행하기로 했다. 출발하라고 하니 부끄러워 일어나지를 못한다. 처음이라 부담스러운 모양이다. 겨우 출발하여 마니또에게 전해줄 말도 하고 선물도 전해주었다. 일부러 말을 빨리하고 끝나기가 무섭게 후다닥 자리로 돌아오는 모습을 보니 너무 귀여워서 엄마 미소가 숨겨지지 않는 담임. 친구의 마니또가 누구인지 궁금해하며 지켜보는 다른 아이들은 “오~~!” 하거나 깔깔깔 웃으며 분위기를 띄운다. 이성 친구에게 주게 될 때는 사랑 고백하는 현장을 방불케 한다. 짧은 기간이었지만 학년말에 어울리는 소중한 경험과 추억을 선물해 줄 수 있어 기뻤던 시간. 12월 첫날 시작했던 학급 그림책까지 완성되어 이날 전달식을 하니 크리스마스 분위기 물씬 풍기는 마음 따뜻한 날이 되었다. 벌써 1년이 저물어 간다. 우리 어린이들, 조금은 더 자라났기를.

선생님의 기도

지금 있는 자리에서 최선을 다하기를
잘했다고 자만하지 않고
못했다고 주눅 들지 않기를
사람은 누구나 장단점이 모두 있다는 사실을 잊지 말기를
다른 사람에 대해 함부로 말하지 않고
스스로 말한 것에는 책임지는 너희들이 되기를
가족과 친구의 소중함을 항상 기억하기를
베풀 때 대가를 바라지 않고
내가 더 주더라도 아까워하지 않기를
내가 어떤 사람인지 고민하고
내가 무엇을 좋아하는지 생각하고
좋아하는 것을 할 때 행복함을 알고 누릴 수 있기를
지금 이 순간이 얼마나 소중한 것인지 깨닫기를
항상 건강하기를
기도해

부록

어떤 야구팬의 신기한 수능 징크스

"자~ 우측에~ 큽니다! 이번에도! 우측에~~~~~ 끝내기 홈런!"

2002년 11월 10일 삼성과 LG의 한국시리즈 6차전 9회 말에 9:6으로 지고 있던 상황, 이승엽 선수의 동점 쓰리런에 이은 마해영 선수의 역전 끝내기 홈런의 기억. 누군가는 기쁨의 눈물을, 누군가는 쓰라림의 눈물을 흘렸을 그 순간을 야구팬이라면 모르는 이 없을 것이다. 나도 그 순간 감격의 눈물을 흘렸었다. 2001년 한국시리즈에서 두산에 패배하여 준우승에 그쳤던 아쉬움을 시원하게 날려버린 그 순간, 눈물을 흘리지 않을 수가 없었다.

그리고? 3년이 지나고 내가 수능을 세 번째 치고 나서 대학에 떨어졌을 때에 뭔가 심상치 않은 낌새를 느끼게 된다. 내가 수능을 친 해에는 항상 삼성 라이온즈가 한국시리즈에 진출을 했던 것이다.

나는 총 네 번의 수능을 쳤다. 그리고 삼성 라이온즈의 우승이 나의 대학 합격에 어떤 영향을 미쳤는지 정리를 해보려고 한다.

1. 첫 번째 수능(2002학년도 대학 수학능력시험)

2001년 11월 7일, 2002학년도 대학 수학능력시험 응시

그 해 삼성 라이온즈는 2001년 한국시리즈에 진출하여 두산과 대결

1차전 2001년 10월 20일 4:7로 삼성 승

2차전 2001년 10월 22일 9:5로 두산 승

3차전 2001년 10월 24일 9:11로 두산 승

4차전 2001년 10월 25일 11:18로 두산 승

5차전 2001년 10월 27일 4:14로 삼성 승

본인 생일에 승리를 선물하며 역전의 발판을 마련하는 것 같았으나

6차전 2001년 10월 28일 5:6으로 두산 승

삼성은 패배했다.

그리고 나는 제일 원했던 A대 사범대 수학교육과에 불합격했다.

2. 두 번째 수능(2003학년도 대학 수학능력시험)

재수를 하고 1년 뒤 2002년 11월 6일, 2003학년도 대학 수학능력시험 응시

그 해 삼성 라이온즈는 또다시 한국시리즈 진출하여 LG와 대결

1차전 2002년 11월 3일 1:4로 삼성 승

2차전 2002년 11월 4일 3:1로 LG 승

3차전 2002년 11월 6일 6:0으로 삼성 승

4차전 2002년 11월 7일 4:3으로 삼성 승

5차전 2002년 11월 8일 7:8로 LG 승

3승 2패로 단 1승만을 남겨놓은 상황, 6차전에 다시 홈그라운드 대구로 돌아와 경기를 치른 삼성은 11월 10일 스코어 9:10 대망의 9회 말 끝내기 홈런으로 2002년 한국시리즈 우승을 차지했다. 그리고 나는 1지망이었던 K대 통계학과에 합격했다.

이때까지는 몰랐다. 이런 상관관계가 있다는 사실을. 대학을 1년 늦게 입학하여 1년 반을 다녔고 교대로 진학하기 위해 2004년에 다시 수능을 쳤는데 이것이 세 번째 수능이었다. 신기하게도 학교를 잘 다니고 있던 2003년에는 삼성 라이온즈도 한국시리즈 3년 연속 진출에 실패했다. 아무리 생각해도 신기하다.

3. 세 번째 수능(2005학년도 대학 수학능력시험)

2004년 11월 17일, 2005학년도 대학 수학능력시험 응시

그 해 삼성 라이온즈는 다시 한국시리즈에 진출하여 현대 유니콘스와 대결

1차전 2004년 10월 21일 2:6으로 현대 승

2차전 2004년 10월 22일 8:8로 무승부

3차전 2004년 10월 24일 3:8로 삼성 승

4차전 2004년 10월 25일 0:0으로 무승부

4차전은 특별히 배영수 투수가 10이닝 노히트 노런을 기록했으나 타자들도 점수를 내지 못하면서 0:0 무승부로 끝나고 말았다.

5차전 2004년 10월 27일 1:4로 현대 승

본인 생일에 삼성은 졌고, 불길한 예감은 적중했다.

6차전 2004년 10월 28일 0:1로 삼성 승

7차전 2004년 10월 29일 6:6으로 무승부

8차전 2004년 10월 30일 2:3으로 현대 승

9차전 2004년 11월 1일 8:7로 현대 승

유독 무승부가 많았던 이번 한국시리즈에서는 현대가 4승 3무 2패로 우승을 차지했고 삼성은 패배했다. 그리고 나는 1지망이었던 B교대에 대기 순번 바로 앞에서 잘리는 불운으로 불합격하고 말았다.

이쯤 되어 이 신기한 상관관계를 깨닫게 되었는데, 네 번째 수능을 치기로 결정한 순간 나는 필사적으로 삼성 라이온즈의 한국시리즈 진출과 우승을 바랄 수밖에 없게 되었다. 재수 삼수를 할 때도 야구를 워낙 좋아하니 시즌 경기를 거의 다 보았는데, 비결은 TBC에서 중계해주는 라디오였다. (그래서 사수를 하게 되었다면 할 말은 없지만) 이어폰을 꽂고 라디오로 야구 중계방송을 들으면서 내가 할 수 있는 유일한 공부는 수학이었다. 생각을 깊이 해야 하는 다른 과목은 불가능해도 수학 문제 풀이는 중계를 들으면서 충분히 할 수 있었다. 간절히 바라면 이루어진다고 했던가. 삼성 라이온즈는 그 해에 또다시 한국시리즈에 진출했다.

4. 네 번째 수능(2006학년도 대학 수학능력시험)
2005년 11월 23일, 2006학년도 대학 수학능력시험 응시

삼성 라이온즈가 2005년 한국시리즈에 진출하여 두산 베어스와 만났는데, 2001년 한국시리즈의 한을 풀듯 단 한 경기도 내주지 않고 4연승으로 우승을 차지했다.

1차전 2005년 10월 15일 2:5로 삼성 승
2차전 2005년 10월 16일 2:3으로 삼성 승
3차전 2005년 10월 18일 6:0으로 삼성 승
4차전 2005년 10월 19일 10:1로 삼성 승

삼성이 우승을 하는 것을 보고 나는 네 번째 수능을 치렀다. 원

래도 이때는 합격할 것 같은 마음이 있었는데 삼성의 우승을 보고 뭔가 확신을 얻었달까. 내가 믿는 절대자에게는 죄송하지만. 그리고 드디어 수능 네 번째만에 1지망 D교대에 합격했다. (작년에 불합격한 B교대도 합격)

중고등학교 동기들이 대학을 졸업할 때 교대에 입학하여 4년 늦은 출발을 했지만, 그래도 행복한 대학 생활이었다. 대학 동기들과 모여서 함께 봤던 2008년도 올림픽 야구는 정말 잊을 수 없는 명승부였고, 야구팬인 동기들과 야구장에 다녔던 기억은 모두 추억이 되었다.

수능 네 번의 우승 징크스. 여기까지만 보면 우연의 일치라고 생각될 수도 있다. 그런데 교대 4학년 때 임용고시에 낙방하면서 고시 재수생이 되었는데, 그때도 삼성의 한국시리즈 우승 징크스는 계속된다.

대학 4학년이었던 2009년에 삼성 라이온즈는 아예 한국시리즈 진출을 하지 못했다.

졸업 후 2010년에 다시 임용고시를 보았는데, 그 해 삼성 라이온즈는 한국시리즈에 진출했지만 SK를 만나 우승을 내주고 말았다. 그리고 나는 또다시 불합격했다.

그렇다면 2011년은 어땠을까? 삼성은 또다시 한국시리즈에 진출했고 이전에 만난 SK를 상대로 우승을 거두었다. 그리고 그때 치른 임용고시는 내 생애 마지막 국가시험이 되었다. 드디어 최종 합격.

중3 때 친구 집에 비디오를 보려고 놀러 간 적이 있다. 그런데 친구의 언니가 벌써 하교를 해 야구 중계를 보고 있어서 우리는 비디오를 볼 수가 없었다. 언니가 당시 삼성 라이온즈 김한수 선수의 팬이었던 것. 마지못해 내가 제일 싫어했던 그 지겨운 야구 경기를 같이 보게 되었는데, 그 경기는 삼성 라이온즈의 오랜 팬이라면 또한 결코 잊을 수 없는 경기일 것이다. 바로 삼성과 LG의 대결에서 강동우 선수(현 한화 타격코치)가 외야 수비를 하다 펜스에 부딪쳐 부상을 당했던 바로 그 경기이다. 그 부상으로 인해 강동우 선수는 선수 생활에 큰 타격을 입게 된다. 하지만 그 경기 때문에(덕분에) 나는 야구 경기를 찾아보게 되었다. 야구팬으로서 새롭게 거듭난 것이다. 그때가 1998년이었으니 벌써 야구팬이 된 지도 20년이 훌쩍 넘었다.

고1 때부터 대구 시민운동장 야구장에 매년 발도장을 찍었다고 해도 과언이 아니다. 임용에 최종 합격했던 2012년에는 발령 대기 중일 때 전국 방방곡곡 야구장을 다 돌았다. 야구 사랑은 연애를 하고 결혼을 하고 아이를 낳고서도 계속되었고 첫째와는 야구장 추억을 제법 만들었으나 둘째는 코로나 창궐로 좀처럼 가지 못하다가

2022년에 처음으로 함께 응원하러 갈 수 있었다. 이때만 해도 둘째의 야구 사랑 잠재력을 몰랐다. 올해 야구장을 자주 갔고 집에서도 자주 시청했는데 경기 규칙을 하나씩 깨치면서 나의 둘도 없는 야구 친구가 되었다. 마침 교회 바자회에서 티볼 방망이를 살 수 있었는데, 시간이 날 때마다 타격 연습을 하고 아빠가 사주신 글러브로 포구 연습도 열심이다. TV 보라고 하면 스포츠 채널부터 트는 다섯 살이 됐으니... 엄청난 야구 사랑에 용기를 내어 둘째와 단둘이서 서울 잠실야구장에서 있었던 삼성 라이온즈와 두산 베어스의 경기를 당일치기로 관람하고 돌아오기도 했다. 내년에는 아직 못 가본 원정 경기장을 가보는 게 목표다. 혹시나 아직도 야구를 보지 않는 분이 있다면 2008년 올림픽 경기를 추천하고 싶다. 그럼 당신은 분명 야구와 사랑에 빠지게 될 것이다.

모교에서 은사님과 근무하게 된 사연

2012년 2월, 세 번만에 겨우 임용을 합격한(수능 4수 포함) 초초초 장수생 늦깎이 예비교사였던 나는 드디어 교사의 꿈을 이루게 되었다는 설레는 마음으로 연수원에서 신규 연수를 받고 있었다. 9시부터 시작되어 점심을 먹고 오후 저녁 먹을 무렵이 되어서야 끝나는 녹록지 않은 연수였지만 정말 간절히 바라던 것이었기에 부푼 꿈을 안고 그 기간을 보냈다. 그런데 연수 기간 중 어느 날, 점심시간 밥을 먹던 식당에서 앞으로의 내 교직 생활을 뒤흔들 역사적인 사건이 발생했던 것이다.

"니... 보라 아이가? 보라 맞제?"

밥을 먹다 내 이름을 부르는 소리에 깜짝 놀라 고개를 들었다. 보라가 맞냐고 물어온 그 사람은 다름 아닌 5학년 때 담임 선생님이셨던 것이다. 어쩜, 18년 전과 하나도 다르지 않은 모습의 은사님이 옆 테이블 맞은편에서 식사를 하고 계셨다. 물론 흔치 않은 이름에 신규 연수생 명찰을 패용하고 있었기 때문에 '혹시?'하고 생각할 수는 있었겠지만, 그렇다고 18년이나 지난 한 명의 제자를 선생님이 먼저 기억하고 이름을 불러 주시다니 정말 너무 감격스러워서 눈물이 다 날 뻔했다.

"니 교대 갔드나?"

"네, 다른 대학 갔다가 다시 시험 쳐서 교대 졸업하고 임용 쳤어요 선생님. 그동안 잘 지내셨어요?"

"그래, 내야 잘 지냈지. 니 (교대 간 것) 진짜 잘했다. 나는 수석교사 연수받으러 왔다. 진짜 반갑데이."

다음 날부터 연수원 가는 길이 더 신이 났다. 식사할 때라도 인사를 나눌 수 있어서 정말 좋았다. 게다가 선생님께서 옆에 계신 동료 분들께 나를 아주 훌륭한 제자라고 소개까지 해 주시니 더 어깨가 으쓱하고 다시 옛날 선생님의 제자였던 때로 돌아간 것 같았다.

사실 교대를 다니는 중에 합격하면 찾아뵈려고 선생님께서 임지를 옮기실 때마다 계속 찾아보고 있었다. 교육청 홈페이지에 '스승 찾기' 코너가 있어서 선생님 이름을 검색하면 현재 근무하는 학교가 어디인지 알 수 있었기 때문이다. 요즘에는 개인정보 때문에 원하면 검색이 안 되게 할 수도 있지만 예전에는 그렇지 않았다. 어디로 옮겼는지 확인하면 그 학교 홈페이지에 들어가서 교직원 소개도 확인하고 꼭 합격해서 감사 인사드리러 찾아뵈리라 다짐했었다. 그런데 그 기회가 이렇게 일찍 찾아오다니! 그것도 선생님께서 먼저 나를 알아봐 주시다니! 생각할수록 감격스럽고 감사한 일이었다.

나는 그해 9월에 차로 15분만 가면 되는 살고 있는 지역에 발령을 받았다. 3월엔 보통 기피 지역에 발령을 받는 경우가 많았는데, 다행히 합격자 중 중간 정도의 적당한 순위를 받은 덕에 9월 1일 자로 내가 살고 있는 곳에 운 좋게 발령받을 수 있었다. 그리고 선생님께 연락을 드렸다.

“선생님, 저 ○○초등학교에 발령 났어요!”

“진짜? 집에서 가까운 데에 잘 됐다. 축하해 보라야.”

그리고 며칠 뒤 선생님께 연락이 왔다. 발령 축하 선물을 주고 싶다고 하셨다. 친히 내가 살고 있는 곳까지 와주시고 여성복 가게에서 예쁜 원피스 한 벌을 사 주셨다. 너무너무 감사했다. 이런 넘치는 사랑을 받아도 되나? 정말 생각할수록 감사한 마음뿐이었다.

근무하는 첫 학교는 거의 50 학급이 되는 아주 큰 학교였는데, 은사님께 이야기를 들었다며 수석 선생님 제자라면 안 봐도 알 수 있다고 많은 선생님들이 먼저 기대한다는 인사 말씀을 건네주셨다. 한편으로 부담스럽기도 했지만 늦은 사회생활을 시작하는 두려운 마음을 조금은 진정시킬 수 있었다. 평생을 가난하게 살았던 난데 든든한 백이 생긴다는 게 이런 기분인가 싶을 정도로 선배 선생님들께 좋은 말씀을 많이 들었다.

교직에 들어오면서 정한 버킷리스트가 3가지 있다. 모교에서 근무하는 것, 은사님과 함께 근무하는 것, 제자와 함께 근무하는 것. 일단 살고 있던 지역에 근무하게 되었으니 모교 근무는 어렵지 않아 보였다. 그런데 근무한 지 2년이 지났을 때 은사님이 다른 지역에서 우리 지역으로 이동해 와 다시 나의 모교로 발령받으셨다는 소식을 들었다. 식당에서 은사님을 우연히 만났던 행운보다 더 큰 행운이 왔다는 직감이 들었다. 우리 지역은 4년을 근무하고 다른 학교로 이동을 한다. 그런데 9월 발령을 받으면 그 해는 치지 않아 6개월을 더 근무할 수 있다. 보통은 어느 학교로 이동할지 많이 고민하지만 나는 전혀 고민하지 않았다. 모교에 이미 은사님이 근무하고 계시니 재고 따질 것도 없이 무조건 여기였다. 게다가 아주 덕망이 높으신 교장 선생님께서 계신다고 하니 정말 하늘이 돕는다는 게 느껴졌다.

교사에게 3월은, 특히 새롭게 임지를 옮긴 교사라면 학생들만큼 적응의 시간을 거치기 마련인데, 나는 수석 선생님의 제자라는 이유로 정말 큰 환대를 받았고 그럴 때마다 벅차오르는 마음으로 정말 최선을 다해서 아이들을 가르칠 수 있었다. 낳은 자식에게만 내리사랑이 있는 게 아니었다. 은사님께 받은 은혜를 아이들을 잘 가르침으로 보답한다는 생각을 했다. 그때 마침 첫째를 임신 중이었는데 임산부인 제자 몸 상할까 얼마나 살뜰히 챙겨 주셨는지 모른다. 안타까웠던 것은 그 해가 은사님이 그 학교에서 근무한 마지막 해였는데 나는 9월 예정일을 채우지 못하고 아이를 조산한 까닭에 1학기가 마치기도 전에 출산휴가에 들어갔고 곧바로 육아휴직을 하며 영광스러웠던 은사님과의 근무는 그렇게 끝이 났다.

하지만 여전히 선생님은 시시때때로 아이를 키우는 다 큰 제자를 챙기셨다. 아기는 잘 크고 있니? 예쁜 내복 한 벌 보냈어. 밥 잘 챙겨 먹고 몸조리 잘해. 둘째를 낳았을 때도 어김없었다. 나는 3년 간의 길고 긴 휴직 생활을 마무리하고 2년 전 2학기부터 복직을 해 다시 모교로 돌아갔지만 안타깝게도 그 사이 선생님은 다른 지역으로 이동을 하셨고 이제 정년퇴임을 바라보고 계신다. 다시 함께 근무할 기회는 이제 더 이상 없을 것이다. 그러나 5개월 짧은 기간 동안 은사님과 모교에서 함께 근무했던 시간은 다시 오지 않을 행복한 추억으로 남았다.

5년 만에 버킷 리스트를 두 가지나 이루었으니 앞으로 세 번째 버킷리스트는 이룰 수 있을까 싶다. 정년퇴임까지 아직 20년이 넘게 남았으나 정년까지 갈 수 있을 거라 장담은 어렵다. 그래도 현장에 있을 동안은 최선을 다해 아이들을 길러내기로 새삼 결심해본다. 9살이었던 첫 제자들이 올해 스무 살이었을 텐데 교대를 간 제자가 있을까 사뭇 궁금하다. 이후에 가르쳤던 6학년 큰 아이들은 벌써 대학을 졸업할 때가 다 되어가니 어쩌면 세 번째 버킷리스트를 이룰 날도 생각보다 빨리 오지 않을까 내심 기대도 된다. 은사님과 같은 사랑을 주려면 지금의 자리에서 결코 부끄럽지 않게 지내야겠다.

에필로그

자칭 하고재비입니다. 벌써 불혹의 고지에 올랐는데 하고 싶은 게 줄어들기보다 늘어나는 게 조금 더 많은 것 같습니다. 하지만 삶의 한가운데 서 있다 보면 하고 싶은 것 반만 해도 성공이란 생각이 듭니다. 파워 J인 제가 아무리 촘촘히 계획을 세워도 일을 하며 어린아이 둘을 키우면서는 엄두를 못 내는 것도 있고 부족한 저만의 시간이 갑자기 늘어나는 일도 없었습니다. 그래서 선택해야 했지요. 부족한 시간 안에서 어떤 것을 하고 싶은지. 흔히 말하는 선택과 집중이 필요했습니다. 그런데 선택의 순간에 읽고 쓰는 것은 결코 빠질 수 없었어요.

읽기를 좋아하는 저는 자연스럽게 쓰기가 좋아진 것 같습니다. 초등학교 5학년 때는 교실 뒤편 게시판에 학급신문 같은 걸 만들어 걸어두는 담당이었던 기억이 납니다. 6학년 때는 학교 신문 기자를 했습니다. 중학교에 올라가서는 글씨를 잘 쓴다고 추천을 받아 2년 동안 학급 서기를 하며 매일 학급일지를 작성했어요. 고등학교에 올라가서도 학급 서기를 했고, 한자 시간에는 칠판 판서 담당, 그리고 교회 중고등부에서 예배 안내서인 주보를 만드는 편집

부에서 활동했습니다. 대학교에 가서는 시험 기간에 소설책 빌려 읽는 학생이었고요. 늘 무언가를 읽고 쓰고 그걸 차곡차곡 판도라의 상자에 모아둡니다. 지금도 30여 년 전 일기부터 매년 쓰는 학급일지, 아이들 어릴 때 쓰던 육아일기까지 다 모아두고 있습니다.

기록의 소중함을 알고 있지만 아무리 집중해도 그날의 일을 날이 바뀌기 전에 적어두는 것은 쉽지 않았습니다. 간단한 메모와 함께 얇아져 가는 기억력에 의존해 필사적으로 남긴 첫 1학년 담임의 이야기입니다. 이 책도 저의 판도라의 상자에 보관되겠지요. 하지만 다른 기록물과의 차이점은 저 외의 다른 사람들이 읽을 수 있다는 것입니다. 너무나 짧은 글이라 부끄럽지만 기록의 힘을 믿기에 용기를 내봅니다. 목표 세우기를 좋아하는 저는 마음속에 몇 가지의 버킷리스트를 정했는데, 10년 안에 두 권의 책을 더 쓰고 싶다는 소망이 하나 더 추가되었습니다. 이 책이 그 디딤돌이 되길 바라며 감사의 인사를 드립니다.